SUPERBUR
PSICOLOGIA PER TUTTI

Edward de Bono

CREATIVITÀ E PENSIERO LATERALE

traduzione di FRANCESCO BRUNELLI

Biblioteca Universale Rizzoli

Titolo originale dell'opera:
LATERAL THINKING
A TEXTBOOK OF CREATIVITY

prima edizione BUR Supersaggi: maggio 1998
prima edizione Superbur Psicologia per tutti: luglio 2001
seconda edizione Superbur Psicologia per tutti: novembre 2001

Il Professor Edward de Bono è rappresentato in Italia da:
Promostudio srl

Corso del Popolo, 54
30172 Venezia Mestre (tel. 041 975911)

Bastioni Porta Volta, 11
20121 Milano (tel. 02 62694490)

info@promostudio.eu.com
www.promostudio.eu.com

PREFAZIONE

Questo libro è destinato a essere usato sia a casa sia a scuola. Per tradizione a scuola si è sempre posto l'accento sul pensiero verticale (logico), che è efficace ma incompleto. Questo tipo selettivo di pensiero deve essere integrato con le qualità produttive del pensiero creativo. Tale integrazione comincia a verificarsi in qualche scuola ma anche in questi rari casi la creatività viene di solito trattata soltanto alla stregua di qualcosa di desiderabile, semmai realizzabile tramite vaghe esortazioni. Non esiste alcuna procedura pratica preordinata per conseguirla.

Questo libro ha per oggetto il pensiero laterale, che è il processo d'uso delle informazioni per conseguire la creatività e la ristrutturazione intuitiva. Il pensiero laterale può venire appreso, praticato e utilizzato. È cioè possibile acquisire delle abilità in questo campo come è possibile acquisirle nel campo della matematica.

Il libro dovrebbe servire agli insegnanti che sono alla ricerca di un metodo pratico per servirsi di questo tipo di pensiero la cui importanza continua a crescere. Questo libro offre delle occasioni per praticare il pensiero laterale e anche una spiegazione dei processi che vi sono implicati. L'insegnante può servirsi di questo libro sia a proprio vantaggio sia, meglio ancora, quale base per il lavoro in classe.

Poiché per l'introduzione generalizzata della creatività pratica nell'istruzione scolastica occorrerà un certo tempo, i genitori potrebbero fare a meno di attendere quest'evento e preferire l'integrazione dell'insegnamento scolastico con l'introduzione del pensiero laterale nell'istruzione casalinga.

Va inoltre rilevato che non esiste antagonismo fra i due tipi di pensiero: entrambi sono necessari. Il pensiero verticale è immensamente fecondo ma occorre accrescerne l'utilità aggiungendovi creatività e attenuandone la rigidità. Verrà il giorno in cui questa integrazione troverà compimento nella scuola ma fino ad allora può rivelarsi necessaria la pratica domestica.

Questo libro non è destinato a essere letto tutto d'un fiato, va invece assimilato lentamente, per mesi o anche per anni. Per questa ragione molti princìpi vengono ripetuti di tanto in tanto lungo il testo allo scopo di dare unità al soggetto ed evitare la sua frammentazione in tecniche pure e semplici. È importante ricordare a chi usa il libro che la pratica è di gran lunga più importante della comprensione del processo.

INTRODUZIONE

Il pensiero laterale è in stretta relazione con l'intuizione, la creatività e lo humour. Questi quattro processi hanno tutti le medesime fondamenta. Ma mentre l'intuizione, la creatività e lo humour sono dati naturali, il pensiero laterale è un processo più intenzionale. È un modo di fare uso della mente determinato quanto il pensiero logico, ma estremamente differente.

La cultura ha attinenza con la formazione delle idee. L'educazione riguarda invece la comunicazione di quelle determinate idee. Entrambe hanno un ruolo nel miglioramento delle stesse idee tramite il loro continuo aggiornamento. L'unico metodo disponibile per cambiare le idee sta nel conflitto che può essere di due tipi. Nel primo c'è un vincitore nel confronto fra idee opposte. L'una o l'altra idea conquista un dominio pratico sull'idea opposta, che viene soppressa ma non trasformata. Nel secondo tipo esiste un conflitto fra la nuova informazione e la vecchia idea. Si presume che la vecchia idea si modifichi per effetto di questo conflitto. Questo è il metodo della scienza che cerca di produrre sempre nuove informazioni per rivoluzionare le vecchie idee e crearne di nuove. Più che di metodo scientifico si può parlare di metodo della conoscenza umana.

L'educazione si basa sulla precisa ipotesi secondo la quale basta semplicemente continuare a raccogliere sempre maggiori informazioni al fine di classificarle fra le idee utili. Abbiamo sviluppato degli strumenti per il trattamento delle informazioni: la matematica per ampliarle, il pensiero logico per perfezionarle.

Il metodo del conflitto per trasformare le idee funziona laddove sia possibile valutare le informazioni in un qualche modo oggettivo. Ma il metodo non funziona per nulla quando è possibile prendere in esame la nuova informazione solamente tramite la vecchia idea. Anziché modificarsi, la vecchia idea si rafforza e si fa ancor più rigida.

Il modo più efficace per cambiare le idee opera non tanto dall'esterno tramite il conflitto quanto dall'interno mediante la rielaborazione intuitiva dell'informazione disponibile. L'intuizione è l'unico modo efficace per cambiare le idee in una situazione immaginaria, quando è impossibile valutare oggettivamente le informazioni. Anche quando questo è possibile, come nell'ambito scientifico, una rielaborazione intuitiva dell'informazione conduce a enormi balzi in avanti. L'educazione ha attinenza non solamente con la raccolta di informazioni ma riguarda anche i modi migliori d'impiego delle informazioni che sono state raccolte.

Quando, anziché restare in coda, sono le idee a guidare l'informazione, il progresso è rapido. Ma non abbiamo sviluppato alcuno strumento pratico per il trattamento dell'intuizione. Possiamo solamente procedere alla raccolta delle informazioni e sperare che a un certo livello sopraggiunga l'intuizione.

Il pensiero laterale è uno strumento dell'intuizione.

L'intuizione, la creatività e lo humour sono tanto inafferrabili a causa del funzionamento della mente. La mente opera per la creazione di modelli nel proprio ambito. Una volta che si siano formati tali modelli è possibile riconoscerli, reagire a essi e usarli. Più i modelli vengono usati e più si fissano saldamente.

Il sistema basato sull'uso di modelli è un modo molto efficiente di trattare l'informazione. Una volta fissati, i modelli formano una sorta di codice. Il vantaggio di un sistema codificato sta nel fatto che, anziché dover raccogliere tutte le informazioni, si raccolgono soltanto quelle sufficienti a identificare il modello codificato, che viene messo allora in evidenza proprio come i libri della biblioteca riguardanti un particolare argomento sono contrassegnati da un numero codificato di catalogo.

Talvolta è opportuno parlare della mente come se fosse una macchina per il trattamento delle informazioni, quasi una sorta di computer. Ma la mente non è una macchina, è piuttosto un ambiente speciale che permette alle informazioni di organizzarsi in modelli. Questo sistema mnesico che si autorganizza e automassimizza è assai utile nella creazione di modelli e proprio in questo sta l'efficacia della mente.

Ma si pongono certi limiti alla enorme utilità di un sistema modellizzante. In un siffatto sistema è infatti agevole fondere modelli o ampliarli, ma è estremamente difficile ristrutturarli perché i modelli controllano l'attenzione. L'intuizione e lo humour implicano entrambi la ristrutturazione di modelli. Anche la creatività comporta la ristrutturazione ma con un maggiore risalto assegnato alla evasione da modelli condizionanti. Il pensiero laterale comporta ristrutturazione, evasione e stimolazione di nuovi modelli.

Il pensiero laterale è strettamente correlato alla creatività, ma mentre la creatività è troppo spesso solamente la descrizione di un risultato, il pensiero laterale è la descrizione di un procedimento. Un risultato lo si può solo ammirare, ma di un procedimento si può apprendere l'uso. Intorno alla creatività esiste una mistica dell'ingegno e dell'indeterminatezza che può trovare legittimazione nel mondo dell'arte, dove la creatività ha a che vedere con la sensibilità estetica, l'eco emotiva e una dote espressiva, ma non ha giustificazione fuori da quell'universo. La creatività viene tenuta in sempre maggior conto quale ingrediente essenziale nel cambiamento e nel progresso. Viene perciò rivalutata nella conoscenza e nella tecnica da quando entrambe stanno facendosi così accessibili. Allo scopo di riu-

9

scire a servirsi della creatività, si deve liberarla da quest'aura di misticismo e considerarla come un modo di usare la mente, un metodo di trattare le informazioni. Di questo si occupa il pensiero laterale.

Il pensiero laterale riguarda la produzione di nuove idee. Esiste una curiosa nozione secondo cui le nuove idee avrebbero a che vedere con l'invenzione tecnica. Si tratta di un aspetto assai secondario della questione. Le nuove idee sono la sostanza del cambiamento e del progresso in ogni campo, dalla scienza all'arte, dalla politica alla felicità personale.

Il pensiero laterale riguarda anche la liberazione dalle prigioni concettuali delle vecchie idee e dà luogo a cambiamenti di atteggiamento e approccio, a uno sguardo diverso sulle cose che sono sempre state considerate dallo stesso angolo visuale. La liberazione dalle vecchie idee e lo stimolo verso le nuove sono aspetti inscindibili del pensiero laterale.

Il pensiero laterale si distingue completamente dal pensiero verticale. In quest'ultimo si avanza passo dopo passo, e ogni passo deve essere giustificato. La distinzione fra i due tipi di pensiero è netta. Per esempio, nel pensiero laterale si utilizzano le informazioni non per il loro intrinseco interesse bensì per il loro effetto. Nel pensiero laterale è possibile sbagliare in una certa fase allo scopo di raggiungere una soluzione corretta; nel pensiero verticale (logico o matematico) ciò è impossibile. Nel pensiero laterale si può andare deliberatamente alla ricerca di informazioni irrilevanti; nel pensiero verticale si seleziona solamente ciò che è rilevante.

Il pensiero laterale non è un surrogato del pensiero verticale. Entrambi sono necessari e sono complementari. Il pensiero laterale è produttivo. Il pensiero verticale è selettivo.

Grazie al pensiero verticale è possibile giungere a una conclusione attraverso una serie valida di passi. Data la validità dei passi si ha l'arrogante certezza della correttezza della conclusione. Ma per quanto corretto possa essere il percorso, il punto di partenza è dovuto a una scelta percettiva che ha plasmato i concetti fondamentali utilizzati. Per esempio, la scelta percettiva tende a creare nette divisioni e s'avvale di un'estrema polarizzazione. Il pensiero verticale opera allora sui concetti prodotti in questo modo. C'è bisogno del pensiero laterale per il trattamento della scelta percettiva che è essa stessa al di là della portata del pensiero verticale. Il pensiero laterale tempera anche l'arroganza di qualsiasi rigida conclusione per quanto profondamente elaborata.

Il pensiero laterale arricchisce l'efficacia del pensiero verticale. Quest'ultimo sviluppa le idee prodotte dal pensiero laterale. Non si può scavare una buca in un posto diverso scavando più a fondo sempre la stessa buca. Il pensiero verticale viene usato per scavare più in profondità la stessa buca. Il pensiero laterale serve a scavare una buca in un posto diverso.

L'accento esclusivo posto in passato sul pensiero verticale rende sempre più necessario l'insegnamento del pensiero laterale. Non si tratta tanto del fatto che il pensiero verticale da solo sia insufficiente al progresso, quanto del fatto che in sé può essere pericoloso.

Similmente a quello logico il pensiero laterale è un modo di fare uso della mente. È un abito mentale, un atteggiamento mentale. Come esistono tecniche specifiche utilizzabili nel pensiero logico, così ne esistono nel pensiero laterale. In questo libro si dà un certo rilievo alle tecniche non perché siano una parte importante del pensiero laterale ma perché sono pratiche. La buona volontà e l'incitamento non sono sufficienti per sviluppare delle abilità nel pensiero laterale. Deve esserci un contesto reale in cui fare pratica e alcune tecniche concrete con le quali fare esperienza. A partire da una comprensione delle tecniche e dalla facilità nel loro uso, il pensiero laterale si sviluppa come un abito mentale. Si può fare anche un uso pratico delle tecniche.

Il pensiero laterale non è un nuovo sistema magico. Ci sono sempre stati casi in cui la gente ha impiegato il pensiero laterale per produrre qualche risultato. Sono sempre esistite persone dotate di una naturale propensione verso il pensiero laterale. Lo scopo di questo libro è quello di mostrare che il pensiero laterale è una parte assolutamente sostanziale del pensiero e che ognuno è in grado di sviluppare delle abilità nel suo ambito. Anziché sperare solamente nell'intuizione e nella creatività è possibile utilizzare il pensiero laterale in un modo intenzionale e pratico.

Sommario

Lo scopo del pensiero è raccogliere informazioni e farne il miglior uso possibile. A causa del modo in cui la mente opera per creare modelli concettuali definiti non riusciamo a fare il miglior uso delle nuove informazioni a meno che non possediamo qualche mezzo per ristrutturare i vecchi modelli e per aggiornarli. I nostri metodi tradizionali di pensiero ci insegnano come approfondire tali modelli e stabilirne la validità. Ma sempre resteremo al di sotto del miglior uso dell'informazione disponibile a meno che non sappiamo come creare nuovi modelli e sfuggire al dominio dei vecchi. Il pensiero verticale si occupa di provare o sviluppare modelli concettuali. Il pensiero laterale riguarda la ristrutturazione di vecchi modelli (intuizione) e la stimolazione di nuovi (creatività). Il pensiero verticale e quello laterale sono complementari. È necessario poterli praticare entrambi. Ma nel campo dell'educazione è sempre stato messo in risalto esclusivamente il pensiero verticale.

La necessità del pensiero laterale sorge dai limiti del comportamento della mente quale sistema mnesico auto-massimizzante.

ISTRUZIONI PER L'USO

Questo libro non vuole introdurre una nuova materia né vuole mettere al corrente il lettore su quanto sta accadendo in un determinato campo. Questo libro è fatto per essere usato. È fatto per essere usato dal lettore a proprio beneficio e, trattandosi di un insegnante, anche a vantaggio dei suoi studenti.

Età

I processi descritti in questo libro sono quelli fondamentali. Si possono applicare a qualsiasi età e a tutti i diversi livelli di apprendimento. Ho fatto ricorso ad alcune delle dimostrazioni più elementari con i gruppi più sofisticati, quali quelli composti dai programmatori esperti di computer, e costoro non sono giunti alla conclusione di aver perso il proprio tempo. Quanto più sofisticato è il gruppo tanto più è in grado di astrarre il processo dalla forma particolare in cui viene dimostrato. Mentre i gruppi di età inferiore traggono piacere dalla prova in sé, quelli più anziani guardano con la più grande attenzione alla sostanza che sta dietro di essa. Benché le prove più semplici siano proponibili a tutti i gruppi di età, le più complicate possono essere utili solo ai gruppi di età più avanzata.

Nei gruppi di età più giovane la forma visiva è molto più efficace di quella verbale poiché un bambino cerca sempre di esprimersi con mezzi visivi e, più ancora, di capire qualcosa che sia stato espresso visivamente. Dall'età di sette anni fino all'università il processo di pensiero laterale è importante. Questo gruppo di età può sembrare vasto ma il processo laterale è fondamentale al pari del pensiero logico e chiaramente la sua rilevanza non si limita a un particolare gruppo di età. In modo analogo l'importanza del pensiero laterale trascende le distinzioni di contenuto persino più di quanto non faccia la matematica. Il pensiero laterale è in uguale misura importante nello studio delle scienze, dell'ingegneria, della storia o della propria lingua. Si deve proprio a questa generale applicazione se il materiale utilizzato in questo libro non richiede il retroterra di qualche disciplina particolare.

Si dovrebbe compiere un tentativo di sviluppare i modi del pensiero laterale quale abito mentale almeno dall'età dei sette anni in avanti. L'effettivo impiego delle idee espresse in questo libro a un particolare livello di età dipende in certa misura dall'esperienza dell'insegnante nel presentare il materiale in una forma appropriata. A tale proposito i due errori più usuali sono:

• presumere che il pensiero laterale sia evidente e che comunque ognuno pensi secondo tale modalità;

• presumere che si tratti di un soggetto del tutto speciale e non sia utile o importante per ciascuno di noi.

L'aspetto pratico del libro si fa più complesso man mano che si procede (a parte ogni considerazione sui contenuti di base destinati all'insegnante). In generale la prima parte del materiale pratico è adatta a bimbi di sette anni e le successive a chiunque. Ciò non significa che la prima parte sia adatta solamente ai bambini o che le parti successive siano adatte soltanto agli adulti ma che invece esiste un modo di trasmissione dell'abito mentale proprio del pensiero laterale per ogni gruppo di età.

Piano del libro

Al pari del pensiero logico, il pensiero laterale è un'attitudine mentale generale che può di quando in quando fare uso di certe tecniche. Ciò nondimeno quest'abito mentale può essere insegnato nel migliore dei modi in un contesto formale utilizzando materiali ed esercizi specifici. Con questo si favorisce lo sviluppo dell'abilità nel pensiero laterale. Senza un contesto formale ci si riduce al puro e semplice incoraggiamento e all'apprezzamento del pensiero laterale quando si presenta, e nessuno di questi processi fa molto per lo sviluppo di tale abito mentale.

Riservare un periodo determinato all'insegnamento del pensiero laterale è molto più utile che cercare di introdurne gradualmente i princìpi nel corso dell'insegnamento di qualche altra materia.

Se lo si deve insegnare insieme con qualche altra materia, allora si dovrebbe isolare un breve periodo determinato quale parte dell'orario complessivo (pur potendo l'argomento essere lo stesso nell'uno e nell'altro periodo).

Un periodo di un'ora settimanale nel corso del processo educativo sarebbe del tutto sufficiente al conseguimento dell'abito mentale proprio del pensiero laterale, o dell'atteggiamento creativo se così lo si vuol chiamare.

Le parti pratiche del libro sono separate sotto diversi aspetti. Non si consiglia di procedere nella lettura affrontando un paragrafo a lezione per poi passare al successivo. Questo metodo sarebbe del tutto inutile. *Si utilizzi invece la struttura di base di ciascuna sezione sempre di nuovo fino a raggiungere una completa familiarità con il procedimento. Si possono dedicare diverse riunioni a un paragrafo particolare o persino parecchi mesi.* Si cambi sempre il materiale di base ma si sviluppi lo stesso processo di pensiero laterale. Ciò che conta è l'uso del pensiero laterale, non la conoscenza di ogni singolo procedimento. È possibile sviluppare facilmente un abito mentale informato al pensiero laterale tanto attraverso una severa pratica di una tecnica, quanto attraverso una breve pratica di tutte le tecniche.

Riguardo alle tecniche non v'è nulla di speciale da segnalare. Ciò che conta è l'atteggiamento che sta dietro di esse. Ma la buona volontà e l'esortazione non sono sufficienti. Se si deve sviluppare un'abilità, si deve disporre di un qualche contesto formale in cui praticarla, e di qualche strumento per utilizzarla. Il modo migliore per diventare esperti nel pensiero laterale è quello di acquisire l'abilità di utilizzare un insieme di strumenti che siano tutti volti al conseguimento del medesimo effetto.

Materiali

Molte dimostrazioni utilizzate in questo libro possono per lo più sembrare futili e artefatte. Ebbene, lo sono. Le dimostrazioni sono utilizzate allo scopo di chiarire qualche punto relativo al processo del pensiero. Non sono destinate a insegnare alcunché, vogliono piuttosto incoraggiare il lettore a sviluppare una comprensione intuitiva del comportamento naturale della mente. Come il reale contenuto di parabole e favole è molto meno importante dell'assunto su cui intendono far convergere l'attenzione, così le dimostrazioni possono essere futili quanto a contenuto ma hanno lo scopo di portare a considerazioni di rilievo.

Purtroppo nella mente non esiste un interruttore che possa essere girato da una parte per affrontare argomenti importanti e dall'altra per quelli di minor portata.

Quale che sia l'importanza di una questione, il sistema si comporta alla stessa maniera, ovvero si adatta alla sua natura. Nelle questioni importanti il suo funzionamento del sistema può essere distorto da considerazioni emotive che non interferiscono invece nella trattazione di questioni futili. L'unico effetto è quello di peggiorare il suo funzionamento. *Di conseguenza, i difetti del sistema nel trattare questioni futili sono quanto meno gli stessi che saranno presenti nel caso di questioni più significative.*

L'importante è il processo non il risultato. I temi futili e artefatti illustrano il processo in modo chiaro e accessibile. Il processo può venire estratto proprio come le relazioni espresse in una formula algebrica si possono separare da ciò che i simboli rappresentano realmente.

La maggior parte degli esempi è di carattere visivo e persino geometrico. Si tratta di una scelta intenzionale poiché l'uso di illustrazioni verbali può essere fuorviante. Le parole sono già pacchetti di informazioni chiari e definiti e nella discussione sul processo di pensiero si deve veramente far ritorno alla situazione in sé, dato che la scelta delle parole in una descrizione costituisce già la scelta di un punto di vista e ci si trova già alquanto avanti nel processo di pensiero. Una situazione visiva è la situazione primitiva cui si può accedere nel modo più immediato, prima d'ogni elaborazione da parte del pensiero, e le situazioni geometriche sono preferibili poiché sono più definite e se ne studia più facilmente l'elaborazione. Con le descrizioni verbali, a parte ogni questione di scelta del punto di vista e delle parole, si presentano sfumature di significato che possono condurre a fraintendimenti. Con una situazione visiva non si suggerisce alcun significato. La situazione è lì presente e perciò è la stessa per chiunque, pur essendo possibile elaborarla in modi diversi.

Quando i princìpi indicati dalle dimostrazioni artificiali sono stati compresi, quando c'è stata sufficiente pratica nel procedimento consigliato, allora è possibile avanzare verso situazioni più reali. È esattamente lo stesso che imparare la matematica sulla base di problemi futili e artificiali per poi fare uso dei procedimenti appresi nella soluzione di problemi importanti.

La quantità di materiali fornita in questo libro è assai limitata. Quanto viene proposto ha più che altro il valore di esempio. Chiunque insegni il pensiero laterale, agli studenti o ai propri figli, deve completare con i propri i materiali qui offerti.

• *Materiale visivo*

Si può raccogliere e usare il seguente materiale:

1. Nella sezione che tratta della progressiva disposizione delle sagome di cartone è possibile preparare questo tipo di forme e anche ideare nuovi modelli per illustrare la stessa cosa. È inoltre possibile chiedere agli studenti stessi di escogitare nuove forme.

2. Si possono prendere fotografie e illustrazioni da giornali e riviste. Queste sono particolarmente utili nel paragrafo relativo ai diversi modi di considerare e interpretare una situazione. Naturalmente le didascalie vanno eliminate. Tenendo conto della praticità, le illustrazioni potrebbero venir montate su cartone. Se una rivista contiene diverse illustrazioni utili allora se ne potrebbe acquistare un certo numero di copie e utilizzare le immagini come materiale permanente.

3. Gli studenti stessi possono fornire disegni di ambienti e di persone. Un disegno fornito da uno studente costituisce un materiale oggettivo per chiunque altro. La complessità e la precisione del disegno non sono importanti, poiché ciò che conta è il modo in cui viene visto dagli altri.

4. Nei paragrafi che richiedono l'esecuzione di progetti sotto forma di disegni, questi forniranno abbondante materiale non solo per il gruppo di studenti che li hanno eseguiti ma anche per i gruppi successivi.

• *Materiale verbale*

Può essere scritto, orale o registrato.

1. Il materiale scritto si può ricavare da giornali e riviste.

2. Questo materiale può anche essere fornito dall'insegnante che scrive su un tema particolare secondo un determinato (seppure simulato) punto di vista.

3. Possono fornire materiale scritto gli studenti stessi ai

quali sia richiesto di stendere un breve brano su qualche tema particolare.

4. Si può ricavare materiale orale dai programmi radio, dalle registrazioni di programmi radiofonici e dalla registrazione intenzionale di discorsi simulati.

5. Si può ottenere materiale orale dagli studenti stessi, chiedendo a uno di loro di parlare su un certo tema.

• *Materiale formato da problemi*

I problemi costituiscono un mezzo adatto per incoraggiare gli atti intenzionali di pensiero. È molto difficile pensare a un problema proprio quando se ne è coinvolti. Esistono diversi tipi di problemi.

1. Problemi universali come la carenza di cibo. Si tratta ovviamente di problemi a risultato aperto.

2. Problemi più immediati come il controllo del traffico urbano. Si tratta di problemi con i quali gli studenti possono essere venuti a contatto diretto.

3. Problemi immediati. Riguardano l'interazione scolastica quotidiana. Se si affrontano problemi personali è probabilmente preferibile occuparsene in maniera astratta come se si stesse parlando di terze persone.

4. Problemi di progettazione e innovazione. Da questi si pretende che diano luogo a certi effetti. Si riferiscono solitamente a oggetti concreti ma possono anche riguardare l'organizzazione o le idee (per esempio come organizzereste un servizio di custodia dei bambini o un supermercato?).

5. Problemi chiusi. Si tratta di quelli che hanno una risposta determinata. Esiste un modo di fare qualcosa e, quando lo si scopre, si constata che funziona. Tali problemi possono esser pratici (per esempio come appendere un filo per il bucato) o artificiosi (come praticare in una cartolina un foro grande a sufficienza da farvi passare la testa).

I problemi si possono ricavare da molte fonti diverse:

1. Un'occhiata a un giornale può suggerire problemi universali o più immediati (per esempio gli scioperi).

2. La vita quotidiana può suggerire dei problemi (per esempio la maggiore efficienza nei trasporti ferroviari).

3. Gli studenti possono sottoporre dei problemi. L'insegnante ne fa richiesta e poi accumula le proposte.

4. Si possono formulare problemi di progettazione prendendo un qualsiasi prodotto (auto, tavola, banco) e chiedendo come potrebbe essere fatto meglio. Problemi di progettazione più elaborati possono prodursi prendendo alcuni compiti che si devono eseguire manualmente e richiedendo una macchina in grado di compiere la stessa operazione, o un dispositivo capace di renderla più facile. Si potrebbe anche solo chiedere un modo più semplice per eseguirla.

5. È piuttosto difficile trovare problemi chiusi. Essi devono avere una determinata risposta, difficile in misura tale da rendere interessante il problema, ma abbastanza evidente una volta che sia stata trovata. Esistono alcuni classici problemi di cui si può avere conoscenza o su cui si può parlare. Ma è una cattiva idea quella di rivolgersi a un libro di rompicapo perché gran parte dei problemi implica dei trucchi matematici comunissimi che non hanno nulla a che vedere con il pensiero laterale. Un modo semplice per generare problemi chiusi è quello di prendere qualche obiettivo comune e poi restringerne le condizioni iniziali. Per esempio, si può richiedere di disegnare un cerchio senza usare il compasso. Una volta stabilito il problema in questo modo, lo si risolve da soli prima di proporlo agli altri.

• *Temi*

A volte c'è semplicemente bisogno di un tema su cui riflettere. Non si tratta di problemi reali e neppure di espressioni di un particolare punto di vista. Si tratta di disporre di un'area tematica in cui muoversi e sviluppare delle idee (per esempio tazze, lavagna, libri, accelerazione, libertà, edilizia). Tali temi si possono ottenere in vari modi.

1. Semplicemente guardandosi intorno, prendendo un oggetto ed elaborandone un tema.

2. Dando un'occhiata a un giornale e ricavandone un tema per ogni titolo.

3. Chiedendo agli studenti di creare dei temi.

• *Aneddoti e racconti*

Probabilmente si tratta del modo più efficace per esprimere l'idea di pensiero laterale ma è estremamente difficile creare aneddoti o racconti.

1. Dalle raccolte di fiabe o di storie popolari (per esempio le favole di Esopo, le imprese del mullah Nasruddin).

2. Prendendo nota degli eventi della propria esperienza o di quella altrui, di nuovi argomenti eccetera.

• *Accumulazione di materiali*

Escogitare materiali su richiesta sembra molto più facile di quanto in realtà non sia. È preferibile accumulare pian piano una riserva di materiali: ritagli di giornali, foto, problemi, racconti, aneddoti, temi e idee suggerite dagli studenti. Gradualmente se ne svilupperà uno schedario utilizzabile in seguito secondo le necessità. C'è inoltre il vantaggio che con l'uso si può apprendere quali siano gli argomenti particolarmente efficaci. Si può anche arrivare a predire delle risposte standard alle questioni. Aneddoti, racconti e problemi dovrebbero dar rilievo al pensiero laterale. I temi dovrebbero essere neutri, abbastanza particolari da suscitare idee determinate ma vasti a sufficienza perché si offra una varietà di idee. Le immagini dovrebbero essere passibili di diverse interpretazioni: un uomo con una confezione di carne in scatola in mano è adatto ma un pompiere che spegne un fuoco non lo è; una donna che si guarda allo specchio può essere ambigua, così pure dei poliziotti che arrestano un uomo o dei soldati che marciano lungo una via. Basta che possiate voi stessi pensare ad almeno due interpretazioni differenti.

In antitesi il materiale verbale dovrebbe essere per quanto possibile definito. Un articolo di giornale dovrebbe offrire un punto di vista impegnato, perfino fazioso. Una valutazione generale disimpegnata non è molto utile a meno che non si cerchino informazioni di base per contribuire all'esame del tema.

Nel rendere comprensibile l'idea di pensiero laterale, come nell'insegnare qualsiasi tipo di pensiero, si ha la possibilità di parlarne in termini astratti, ma ciò che rende le cose veramente chiare è il *coinvolgimento reale*. Il coinvolgimento può avere inizio con astratte forme geometriche per poi trasferire di peso il processo a situazioni più reali. È utile tornare continuamente indietro alle forme semplici per esaltare il processo perché, se si ci si attiene completamente alle situazioni reali, la natura del processo può farsi indistinta. Esiste anche il pericolo effettivo per il quale, nel considerare le situazioni reali, si arriva a pensare in termini di raccolta di maggiori informazioni, laddove l'idea complessiva del pensiero laterale è la ristrutturazione concettuale.

Chiarezza del pensiero laterale

Forse sembrano un artificio la separazione del pensiero laterale e il tentativo di insegnarlo isolatamente quando esso occupa una così gran parte del pensiero in generale. Esiste una ragione per farlo. I processi del pensiero laterale sono per lo più del tutto contraddittori rispetto agli altri processi di pensiero (è la loro funzione essere tali). Se non si fa una chiara distinzione, c'è il pericolo di dare l'impressione che il pensiero laterale eroderebbe sotterraneamente quanto viene insegnato altrove mediante l'introduzione del dubbio. È tenendo distinto il pensiero laterale da quello verticale che si può evitare questo pericolo e arrivare ad apprezzare il valore di entrambi. Il pensiero laterale non costituisce un attacco a quello verticale, bensì un metodo per renderlo più efficace con l'aggiunta della creatività.

L'altro pericolo che sorge dall'assenza di separazione del pensiero laterale sta nella vaga sensazione secondo cui, essendo comunque insegnato nel corso dell'istruzione in altre discipline, non c'è necessità di fare qualcosa di speciale per quanto lo riguarda. In pratica un simile atteggiamento è completamente sbagliato. Ognuno si accorge naturalmente quando sta facendo uso del pensiero laterale e lo incoraggia sempre nei propri studenti. È molto facile provare questa sensazione, ma la natura fondamentale del pensiero laterale è talmente diversa da quella del pensiero verticale che è impossibile insegnare entrambi allo stesso tempo. Non basta introdurre un pizzico di pensiero laterale. È necessario sviluppare delle abilità nel servirsene efficacemente, non soltanto riconoscerlo come una possibilità.

Organizzazione dei capitoli del libro

Ciascun capitolo è suddiviso in due parti:
1. Materiali di base, teoria e natura del processo discusso nei singoli paragrafi.
2. Piano pratico per verificare e usare il processo in discussione.

1

COME FUNZIONA LA MENTE

La necessità del pensiero laterale trae origine dal modo in cui funziona la mente.* Nonostante la sua enorme efficacia, il sistema di trattamento dell'informazione chiamato mente presenta certi limiti caratteristici. Questi limiti sono inseparabili dai vantaggi del sistema poiché gli uni e gli altri sorgono direttamente dalla natura del sistema stesso. Sarebbe impossibile avere i vantaggi senza gli svantaggi. Il pensiero laterale è un tentativo di compensazione degli svantaggi mentre ancora si godono i vantaggi.

Comunicazione in codice

La comunicazione è la trasmissione di informazioni. Se volete che qualcuno faccia qualcosa, potreste fornirgli delle istruzioni particolareggiate dicendogli esattamente che cosa fare. Questo sarebbe il procedimento corretto, ma potrebbe occorrere tanto tempo. Sarebbe molto più facile se semplicemente gli diceste: «Procedi ed esegui il piano numero 4». Questa semplice proposizione sostituirebbe pagi-

* Un'esauriente descrizione sulle modalità di trattamento delle informazioni da parte della mente è offerta dal libro *The Mechanism of Mind* [I meccanismi della mente], pubblicato in Gran Bretagna da Jonathan Cape (London, 1969) e da Pelican Books (Harmondsworth, 1971) e negli USA da Simon & Schuster (New York, 1969). Naturalmente non è possibile trattare questa materia nei particolari in questo contesto poiché lo scopo di questo libro è diverso. È possibile solamente accennare al tipo di sistema in questione. Laddove compaia un asterisco nel testo (*p. es. in qualche altro passo**), i lettori desiderosi di informazioni più particolareggiate sono rimandati all'altro libro [*N.d.A.*].

ne e pagine di istruzioni. Nel mondo militare certi complessi modelli di comportamento vengono codificati in modo tale che si deve solamente specificare il numero di codice affinché l'intero modello di comportamento venga attivato. Lo stesso accade nei computer: i programmi di maggior uso vengono immagazzinati sotto un particolare titolo e si possono richiamare specificandone semplicemente il titolo. Quando vi recate in una biblioteca per avere un libro, potreste descrivere nei particolari il volume che desiderate, fornendone autore, titolo, soggetto, linee generali eccetera. Al posto di tutta questa procedura potreste semplicemente dare il numero codificato del catalogo.

La comunicazione mediante codice può funzionare soltanto se esistono dei modelli prestabiliti. Questi modelli, che possono essere molto complessi, vengono elaborati in anticipo e sono disponibili sotto qualche titolo codificato. Anziché trasmettere tutta l'informazione richiesta trasmetterete solamente il titolo codificato, il quale opera come una parola chiave che identifica e richiama il modello desiderato. Questa parola chiave può essere un vero titolo in codice come il titolo di un film o può essere qualche parte dell'informazione che funge da richiamo per il resto. Per esempio, si potrebbe non ricordare un film in base al titolo, ma se si dovesse dire: «Ricordi quel film con Julie Andrews nella parte della governante che assiste dei bambini in Austria?», il resto del film sarebbe facilmente richiamato alla mente.

Il linguaggio stesso è il più naturale fra i sistemi codificati con le parole stesse che fungono da chiavi. Ogni sistema codificato presenta enormi vantaggi. È facile trasmettere una quantità di informazioni a gran velocità e senza eccessiva fatica. Tale sistema rende possibile una reazione adeguata a una situazione non appena la situazione viene riconosciuta dal suo numero di codice senza bisogno di esaminarla nel dettaglio. Rende possibile una reazione adeguata a una situazione persino prima che la situazione si sia pienamente evoluta, grazie all'identificazione della stessa dai suoi aspetti iniziali.

Di solito si pensa alla comunicazione come a una questione bidirezionale: c'è qualcuno che intende inviare un messaggio e qualcuno che cerca di comprenderlo. Data una certa disposizione prestabilita delle bandiere sull'albero di una nave, chiunque comprenda il codice riesce a dire che cosa quella particolare disposizione significhi. Ma una persona che conosce il codice sarebbe in grado anche di individuare un messaggio da una disposizione casuale delle bandiere usate per decorare una festa o una stazione di rifornimento.

La comunicazione può essere una questione unidirezionale. La situazione di chi si occupa dell'ambiente è un esempio di comunicazione unidirezionale. Si individuano messaggi provenienti dall'ambiente anche se nessuno li ha deliberatamente espressi.

Se sottoponete una disposizione casuale di linee a un gruppo di persone, costoro cominceranno subito a individuare dei modelli dotati di senso. Si convinceranno che i modelli sono stati posti intenzionalmente o che le disposizioni casuali non sono affatto tali ma sono formate da modelli specifici. Alcuni studenti ai quali era stato chiesto di reagire in un certo modo al suono di una campana che batteva a intervalli casuali, presto si convinsero dell'esistenza di un modello significativo che rispecchiava il modo in cui la campana veniva suonata.

La comunicazione mediante codici o modelli prestabiliti richiede lo sviluppo di un catalogo di modelli proprio come in biblioteca è possibile fare uso solamente del numero di catalogo di un volume se qualcuno ha catalogato i libri. Come indicato sopra, non deve esserci un vero numero di codice per ogni modello. Qualche parte del modello stesso può arrivare a rappresentarlo nel suo complesso. Se riconosceste un uomo ascoltandone il nome «John Smith», in ciò consisterebbe l'uso di un titolo codificato, ma se lo riconosceste dal timbro della voce durante una festa, in ciò consisterebbe l'uso di una parte del modello. Sotto sono raffigurati due modelli familiari, ciascuno dei quali è nascosto parzialmente dietro uno schermo. Non sarebbe molto difficile indovinare i modelli dalle parti che sono accessibili.

La mente quale sistema modellizzante

La mente è un sistema modellizzante. Il sistema informativo della mente opera per creare modelli e riconoscerli. Questo comportamento dipende dall'assetto funzionale delle cellule nervose del cervello.

L'efficacia della mente nella sua comunicazione unidirezionale con l'ambiente trae origine dalla sua capacità di creare modelli, immagazzinarli e riconoscerli. È possibile che soltanto pochi modelli si sviluppino nella mente e che questi si manifestino quale comportamento istintivo, ma questo fatto sembra relativamente trascurabile nell'uomo se paragonato a quanto avviene negli animali inferiori. La mente può accogliere anche modelli già pronti e trarne alimento, ma la proprietà più importante del sistema mentale è l'abilità di creare i propri modelli. Il modo in cui la mente crea realmente questi modelli viene descritto altrove.*

Un sistema in grado di creare i propri modelli e riconoscerli è capace di comunicare efficacemente con l'ambiente. Non importa se i modelli siano giusti o sbagliati purché siano definiti. Poiché i modelli sono sempre artificiali e creati dalla mente, si potrebbe affermare che la funzione della mente è l'errore. Una volta che si sono formati i modelli, il meccanismo selettivo dell'utilità (paura, fame, sete, sesso ecc.) classificherà i modelli e conserverà quelli utili alla sopravvivenza. Ma prima i modelli si devono formare. Il meccanismo selettivo può solo selezionare i modelli, non può formarli o addirittura modificarli.

Sistema che si autorganizza

Si può pensare a una segretaria che gestisce attivamente un sistema d'archivio, a un bibliotecario che cataloga attivamente dei libri, a un computer che seleziona attivamente l'informazione. La mente tuttavia non seleziona «attivamente» l'informazione. L'informazione si seleziona e si organizza da sé in modelli. La mente è passiva. La mente fornisce all'informazione solamente un'occasione per comportarsi in questo modo. La mente provvede solamente a un ambiente speciale in cui l'informazione può procedere ad autorganizzarsi. Quest'ambiente speciale è una superficie mnesica dalle caratteristiche peculiari.

Un ricordo è qualcosa che accade e non accade del tutto. Il risultato è una traccia che viene lasciata. La traccia può durare a lungo o solamente per poco tempo. L'informazione che entra nel cervello lascia una traccia nel comportamento alterato delle cellule nervose che forano la superficie mnesica.

La superficie mnesica è paragonabile a un paesaggio. I contorni della superficie offrono una traccia della memoria accumulata dall'acqua che vi è caduta sopra. La pioggia forma piccoli rivoletti che si uniscono in torrenti e poi in fiumi. Quando s'è formato il modello di drenaggio, allora esso tende a farsi sempre più permanente poiché la pioggia si raccoglie nei canali di scolo e tende a renderli più profondi. È la pioggia che compie l'azione scultorea, e tuttavia è la risposta della superficie alla pioggia che organizza il modo in cui la pioggia eseguirà la scultura.

Nel caso di un paesaggio le proprietà fisiche della superficie avranno un poderoso effetto sul modo in cui la pioggia colpirà la superficie stessa. La natura della superficie determinerà quale tipo di fiume si formerà. Gli affioramenti rocciosi determineranno quale via il fiume seguirà.

Anziché un paesaggio prendete ora in considerazione una superficie omogenea su cui cada la pioggia. Supponiamo che un piatto piano di gelatina alimentare fornisca una siffatta superficie. Se cade dell'acqua calda sulla superficie di gelatina, questa si scioglie un po' e quando l'acqua viene gettata via dalla superficie resta una depressione. Se si versa un altro cucchiaio sulla superficie vicino al punto dove è stato versato il primo, l'acqua scorrerà nella prima depressione tendendo a renderla più profonda ma lasciando una sua propria impronta. Se vengono versati altri cucchiai di acqua calda sulla superficie (uno immediatamente dopo l'altro) la superficie si trasformerà in un paesaggio scolpito nella gelatina, formato da avvallamenti e ponti. La gelatina omogenea ha semplicemente fornito una superficie mnesica per i cucchiai di acqua calda che si sono organizzati in un modello. I contorni della superficie sono formati dall'acqua, ma, una volta formati, i contorni si orientano dove l'acqua scorrerà. Il modello finale dipende da *dove i cucchiai colmi d'acqua sono stati versati e dalla successione secondo la quale sono stati versati.* Tutto ciò è equivalente alla natura dell'informazione in ingresso e della sequenza d'arrivo. La gelatina rappresenta un ambiente per l'autorganizzazione dell'informazione in modelli.

Limiti nella portata dell'attenzione

Un tratto fondamentale di un sistema mnesico passivo che si autorganizza è la portata limitata dell'attenzione.

Questa è la ragione per cui solo una cucchiaiata d'acqua alla volta veniva versata sulla superficie di gelatina. I meccanismi in base ai quali una superficie mnesica passiva può arrivare ad avere una portata limitata d'attenzione sono spiegati altrove.* La portata limitata dell'attenzione significa che solamente parte della superficie mnesica può essere attivata ogni tanto. Quale parte della superficie giunga a essere attivata dipende da cosa si sta presentando al momento alla superficie, da cosa si è presentato alla superficie poco prima e dallo stato della superficie (ovvero da che cosa è accaduto alla superficie in passato).

Questa portata limitata dell'attenzione è estremamente importante perché significa che l'area attivata sarà una singola area coerente e questa si troverà nella parte più facilmente attivata della superficie mnesica. (Nel modello della gelatina corrisponderebbe all'avvallamento più profondo.)

L'area più facilmente attivata è quella più familiare, quella che si incontra più spesso, quella che ha lasciato la maggior parte delle tracce sulla superficie mnesica. E poiché tende a essere usato, un modello familiare diventa ancora più familiare. In questo modo la mente sviluppa quella riserva di modelli prestabiliti che sono alla base della comunicazione codificata.

Con la portata limitata dell'attenzione la superficie mnesica passiva che si autorganizza provvede anche all'automassimizzazione. Ciò significa che i processi di selezione, rigetto, combinazione e separazione divengono tutti possibili. Messi insieme, questi processi dotano la mente di una potentissima funzione di elaborazione.*

Sequenza d'arrivo dell'informazione

Nella pagina seguente si vedono le sagome di due elementi di plastica sottile che vengono dati a una persona in seguito istruita a disporli insieme in modo da creare una forma facilmente descrivibile. I due elementi di solito vengono sistemati in modo tale da formare un quadrato (come si vede nell'illustrazione). Si aggiunge poi un altro elemento di plastica con le stesse istruzioni precedenti. Questo viene semplicemente sommato al quadrato in modo da formare un rettangolo. Si aggiungono ancora altri due elementi contemporaneamente che si mettono insieme in modo da formare un elemento da aggiungere al rettangolo per formare di nuovo un quadrato. Infine si aggiunge un altro elemento, che però non si adatterà. Per quanto si sia stati corretti a ogni passaggio non si è in grado di procedere oltre. Il nuovo pezzo non si adatta al modello esistente.

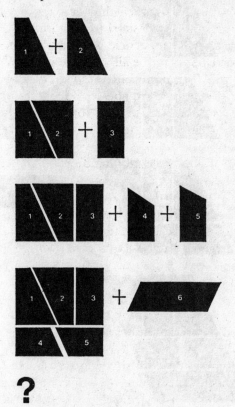

31

Qui sotto si mostra un modo diverso di disporre gli elementi di plastica. Con questo nuovo tipo di disposizione si riesce a sistemare tutti gli elementi, incluso l'ultimo. Ma quest'altro metodo ha meno probabilità di venire tentato rispetto al primo poiché un quadrato è molto più ovvio di un parallelogramma.

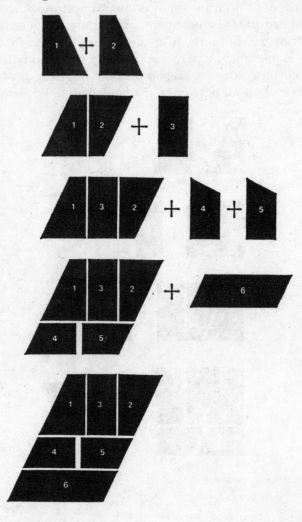

Se si partisse con il quadrato allora si dovrebbe tornare indietro e *riordinare* gli elementi a un certo stadio per formare un parallelogramma prima di poter procedere. *Di conseguenza, pur essendo stati corretti a ogni passaggio, sarebbe necessario rielaborare la situazione prima di riuscire a procedere oltre.*

Gli elementi di plastica indicano ciò che accade in un sistema automassimizzante. In un siffatto sistema l'informazione disponibile in ogni momento è sempre elaborata nel modo migliore (è più stabile, in termini fisiologici). Quando si presentano altre informazioni, queste si aggiungono alla disposizione esistente allo stesso modo in cui si aggiungevano gli elementi di plastica. Ma la capacità di dare senso all'informazione nei diversi passaggi non significa che si riesca a procedere. Giunge un momento in cui non si riesce ad andare oltre senza ristrutturare il modello, senza smantellare il vecchio modello che è stato così utile ed elaborare le nuove informazioni in un modo nuovo.

Il guaio di un sistema automassimizzante che deve avere senso in ogni momento è dato dal fatto che la sequenza d'arrivo dell'informazione determina il modo in cui deve essere ordinata. Per questa ragione l'*elaborazione dell'informazione è sempre inferiore all'elaborazione migliore possibile*, perché questa sarebbe del tutto indipendente dalla sequenza d'arrivo delle informazioni.

massimo uso di
informazione disponibile

ristrutturazione intuitiva

uso ordinario dell'informazione
disponibile

Nella mente, che è un sistema mnesico cumulativo, l'elaborazione dell'informazione in forma di concetti e idee tende a fare un uso inferiore al grado massimo dell'informazione disponibile. Lo si vede nel diagramma dove il normale livello d'uso dell'informazione appare ben al di sotto del livello teorico massimo. È grazie alla ristrutturazione intuitiva che ci si sposta verso il livello massimo.

Humour e intuizione

Come nel caso degli elementi di plastica, c'è spesso un modo alternativo di elaborare l'informazione disponibile. Ciò significa che può esserci un passaggio verso un'altra elaborazione. Di solito questo passaggio è improvviso.*

Se il passaggio è temporaneo dà origine allo humour. Se il passaggio è permanente dà origine all'intuizione. È interessante notare che la reazione a una soluzione intuitiva è spesso una risata anche quando non c'è nulla di comico nella soluzione stessa.

Un uomo s'è buttato dalla cima di un grattacielo. Quando ha superato la finestra del terzo piano lo si è sentito bofonchiare: «Fin qui tutto bene».

Un giorno, durante una cena, Sir Winston Churchill sedeva accanto a Lady Astor. Rivolgendosi a lui, ella gli disse: «Mr Churchill, se fossi sposata con lei le verserei del veleno nel caffè». Churchill si volse verso di lei e disse: «Signora, se fossi sposato con lei... berrei il caffè».

Un poliziotto fu visto camminare lungo la via principale tirando un pezzo di spago. Sapete perché stava tirando un pezzo di spago?... Avete mai cercato di *spingere* un pezzo di spago?

In ciascuna di tali situazioni si genera un'aspettativa secondo il modo in cui le informazioni sono messe insieme. Poi all'improvviso quest'aspettativa viene frustrata ma allo stesso tempo si osserva che lo sviluppo inatteso è un altro modo per mettere insieme le cose.

Humour e intuizione sono caratteristici di questo tipo

di sistema di trattamento dell'informazione. È difficile dar luogo a entrambi i processi intenzionalmente.

Svantaggi del sistema

Sono stati citati i vantaggi del sistema di informazione basato su modelli prestabiliti. Fondamentalmente, i vantaggi sono la rapidità di riconoscimento e quindi di reazione. Perché si possa riconoscere quanto si sta cercando si può esplorare l'ambiente con efficacia. Anche gli svantaggi sono esattamente definiti. Alcuni degli svantaggi del sistema mentale di trattamento dell'informazione sono elencati qui di seguito.

1. I modelli tendono a stabilizzarsi sempre più rigidamente poiché controllano l'attenzione.

2. È estremamente difficile cambiare i modelli quando si sono stabilizzati.

3. L'informazione che è stata elaborata come parte di un modello non può essere usata facilmente come parte di un modello completamente diverso.

4. Esiste una tendenza verso la «polarizzazione», vale a dire che qualsiasi cosa abbia una rassomiglianza con un modello standard verrà percepita come il modello standard stesso.

5. Si possono creare modelli tramite divisioni più o meno arbitrarie. Ciò che è continuo è passibile di divisione in unità distinte che poi si sviluppano ulteriormente a parte. Quando queste unità si sono formate, si possono autoperpetuare. La divisione può continuare a lungo dopo che ha cessato di essere utile oppure può introdursi in aree dove è assolutamente priva di utilità.

Nel diagramma di pagina seguente, se il quadrato è abitualmente diviso in quarti come in A, diventa difficile usare la divisione mostrata in B.

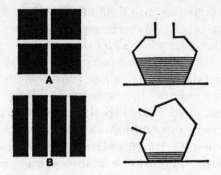

6. Esiste una grande continuità nel sistema. Un'esigua differenza in un punto può costituire un'enorme differenza in seguito.

7. La sequenza di arrivo dell'informazione recita una parte troppo importante nella sua elaborazione. Qualsiasi elaborazione dell'informazione ha quindi scarse probabilità di essere la migliore possibile.

8. Esiste una tendenza a saltare da un modello a un altro anziché avere una conversione senza scosse. È il caso delle due bottiglie che hanno due posizioni stabili (v. la figura sopra). Questo cambiamento improvviso avviene quando si passa repentinamente da un modello stabile a un altro.

9. Anche se la scelta fra due modelli competitivi può essere molto delicata, uno di essi verrà scelto e l'altro sarà completamente ignorato.

10. La tendenza alla «polarizzazione» porta a spostarsi verso uno dei due estremi anziché al mantenimento di un punto equilibrato fra essi.

11. I modelli consolidati diventano sempre più ampi. Ciò equivale a dire che i singoli modelli si connettono fino a formare una sequenza sempre più lunga che domina a tal punto da costituire da sola un modello. Non esiste nulla nel sistema che tenda a spezzare tali lunghe sequenze.

36

12. La mente è un sistema creatore e utilizzatore di cliché.

Lo scopo del pensiero laterale è quello di superare questi limiti fornendo un mezzo per ristrutturare i modelli, per sfuggire ai cliché, per mettere insieme le informazioni in modi nuovi al fine di fornire nuove idee. A questo scopo il pensiero laterale fa uso di alcune proprietà di questo tipo di sistema. Per esempio, l'uso della stimolazione casuale potrebbe operare unicamente in un sistema automassimizzante. Anche il disordine e la stimolazione sono utili solamente se le informazioni poi si ricompongono di nuovo per fornire un nuovo modello.

Sommario

Il modo di trattamento dell'informazione da parte della mente è caratteristico. Questo modo è molto efficace e presenta enormi vantaggi pratici, ma ha anche dei limiti. In particolare, la mente è utile per stabilire modelli concettuali ma non per ristrutturarli al fine di aggiornarli. È da questi limiti intrinseci che sorge la necessità del pensiero laterale.

2

DIFFERENZA FRA PENSIERO LATERALE
E PENSIERO VERTICALE

Poiché la maggioranza delle persone crede che il pensiero verticale tradizionale sia l'unica forma possibile di pensiero efficace, è utile far conoscere la natura del pensiero laterale mostrando come si differenzi da quello verticale. Alcuni fra i più rilevanti elementi di differenza vengono indicati di seguito. La nostra assuefazione agli abiti mentali del pensiero verticale è tale da farci sembrare sacrileghi alcuni di questi elementi di differenza. Può anche sembrare che in alcuni casi si sollevino contraddizioni per il puro gusto della contraddizione. Eppure nel contesto del comportamento di un sistema mnesico automassimizzante il pensiero laterale non solo ha un significato valido ma è anche necessario.

Il pensiero verticale è selettivo, il pensiero laterale è produttivo

La correttezza è ciò che conta nel pensiero verticale. La ricchezza è ciò che importa nel pensiero laterale. Il pensiero verticale sceglie un percorso escludendone altri. Il pensiero laterale non seleziona ma cerca di aprire altre vie. Con il pensiero verticale si seleziona l'approccio più promettente a un problema, il miglior punto di vista su una situazione. Con il pensiero laterale si generano tanti approcci alternativi nel campo delle possibilità. Con il pensiero verticale è possibile cercare approcci diversi fino a trovarne uno promettente. Con il pensiero laterale si procede generando tanti approcci secondo le possibilità, anche *dopo* che se ne è trovato uno promettente. Con il pensiero verticale si cerca di selezionare il miglior approccio, mentre con il pensiero laterale si generano diversi approcci per il gusto di generarli.

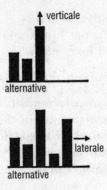

Il pensiero verticale si mette in moto solamente se esiste una direzione in cui muoversi, il pensiero laterale si mette in moto allo scopo di generare una direzione

Con il pensiero verticale ci si muove in una direzione chiaramente definita verso la soluzione di un problema. Si fa uso di un determinato approccio o di una determinata tecnica. Con il pensiero laterale ci si muove per muoversi.

Non occorre muoversi verso qualcosa, ci si può allontanare da qualcosa. Ciò che conta è il movimento o il cambiamento. Con il pensiero laterale non ci si muove allo scopo di seguire una direzione bensì per generarne una. Con il pensiero verticale si progetta un esperimento per mostrare qualche effetto. Con il pensiero laterale si progetta un esperimento allo scopo di procurarsi un'occasione per cambiare le proprie idee. Con il pensiero verticale si deve sempre essere utilmente in movimento verso qualche direzione. Con il pensiero laterale è possibile trastullarsi senza alcuno scopo o direzione, è possibile divagarsi con esperimenti, modelli, annotazioni, idee.

Il movimento e il cambiamento del pensiero laterale non sono un fine in sé ma un modo per dar luogo alla rimodellizzazione. Quando ci sono movimento e cambiamento allora le proprietà valorizzatrici della mente baderanno all'utilità di ciò che accade. Il pensatore verticale afferma: «So che cosa sto cercando». Il pensatore laterale asserisce: «Sto cercando ma non voglio sapere che cosa sto cercando finché non l'ho trovato».

Il pensiero verticale è analitico, il pensiero laterale è stimolatore

Si possono tenere in considerazione tre diversi atteggiamenti riguardo all'osservazione di uno studente che fosse giunto alla seguente conclusione: «Ulisse era un ipocrita».

1. «Sbagli, Ulisse non era un ipocrita.»

2. «Molto interessante, dimmi come sei giunto a questa conclusione.»

3. «Benissimo. Cosa succede poi? Come pensi di procedere a partire da quest'idea?»

Allo scopo di riuscire a usare le qualità stimolatrici del pensiero laterale si deve anche essere in grado di sfruttare le qualità selettive del pensiero verticale.

Il pensiero verticale è consequenziale, il pensiero laterale può procedere a salti

Con il pensiero verticale si avanza un passo alla volta. Ogni passo trae origine direttamente dal precedente al quale è strettamente connesso. Una volta che si sia raggiunta una conclusione, la bontà di quella conclusione viene provata dalla bontà dei passi attraverso i quali è stata raggiunta.

Con il pensiero laterale i passi non devono essere in successione. È possibile saltare in avanti a un nuovo punto e poi colmare successivamente lo scarto. Nel diagramma qui sotto, il pensiero verticale procede regolarmente da A a B a C a D. Con il pensiero laterale è possibile raggiungere D via G e una volta arrivati spostarsi all'indietro.

Quando si salta direttamente alla soluzione allora la sua validità non può evidentemente dipendere dalla validità della via attraverso la quale la si è raggiunta. Nondimeno la soluzione può ancora avere senso in sé senza dover dipendere dal percorso attraverso il quale è stata conseguita. Come nel caso del metodo per tentativi ed errori, un tentativo riuscito resta tale anche se non c'è stata alcuna ragione valida per effettuarlo. Può anche accadere che quando si sia raggiunto un punto particolare diventi possibile la costruzione di un percorso logico valido che retroceda fino al punto di partenza. Quando un siffatto percorso è stato costruito, allora può non avere alcun rilievo sapere da quale punto finale è iniziata la costruzione, può essere anche stato possibile costruirla partendo dalla conclusione errata. Forse è necessario essere in cima a una montagna per trovare la migliore via d'ascesa.

Con il pensiero verticale si deve essere corretti a ogni passo, con il pensiero laterale si può non esserlo

L'autentica essenza del pensiero verticale sta nel fatto che si deve essere corretti a ogni passo. Questo è assolutamente fondamentale per la natura del pensiero verticale. Il pensiero logico e la matematica non funzionerebbero affatto senza questa necessità. Nel pensiero laterale, invece, non è necessario essere corretti a ogni passo purché la conclusione sia esatta. È come costruire un ponte. Le parti non hanno da sorreggersi da sé in ogni stadio ma quando l'ultimo pezzo è messo in opera il ponte all'improvviso si regge da sé.

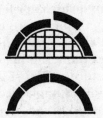

Con il pensiero verticale si usa la negazione allo scopo di bloccare alcuni percorsi. Con il pensiero laterale non esiste alcuna negazione

Esistono circostanze in cui può essere necessario sbagliare allo scopo di essere nel giusto alla fine. Ciò può accadere quando si viene giudicati in errore secondo il comune quadro di riferimento e poi si viene considerati nel giusto quando il quadro di riferimento stesso è cambiato. Anche se il quadro di riferimento non è cambiato può essere ancora utile attraversare un'area erronea allo scopo di raggiungere una posizione da cui si può vedere il percorso giusto. Il diagramma qui sotto lo mostra. Il percorso finale non può naturalmente passare attraverso l'area erronea ma avendola attraversata è possibile scoprire più facilmente il percorso corretto.

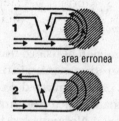

area erronea

Con il pensiero verticale ci si concentra e si esclude ciò che è irrilevante, con il pensiero laterale si accolgono favorevolmente le intrusioni del caso

Il pensiero verticale è selezione mediante esclusione. Si opera all'interno di un quadro di riferimento e si respinge ciò che non è rilevante. Con il pensiero laterale si diventa consapevoli del fatto che un modello non può essere ristrutturato dal suo stesso interno ma che è solo il risultato di qualche influsso esterno. Così si accolgono gli influssi esterni per la loro azione stimolatrice. Quanto più tali influssi sono irrilevanti tanto maggiore è la possibilità di modificare il modello stabilito. Cercare solamente gli elementi che sono rilevanti significa perpetuare il modello corrente.

Con le categorie del pensiero verticale classificazioni e definizioni sono fissate, con il pensiero laterale non lo sono

Secondo le categorie del pensiero verticale, classificazioni e definizioni sono utili solo se sono coerenti, poiché il pensiero verticale fa affidamento sull'identificazione di qualche elemento come membro di una classe o sulla sua esclusione da quella classe. Se si definisce e si colloca qualche elemento in una classe si suppone che vi appartenga. Secondo il pensiero laterale le definizioni possono cambiare come se qualcosa ora fosse visto in un modo ora in un altro. Classificazioni e categorie non sono caselle fisse per favorire un'identificazione bensì dei segnaposti per contribuire al movimento. Secondo il pensiero laterale le definizioni non vengono assegnate una volta per tutte ma se ne fa uso per la loro utilità temporanea.

Il pensiero verticale fa stretto affidamento sul rigore delle definizioni proprio come la matematica nel caso del significato invariabile di un simbolo una volta che sia stato assegnato. Esattamente come un improvviso mutamento di significato sta alla base dello humour così una analoga fluidità del significato è utile per la stimolazione del pensiero laterale.

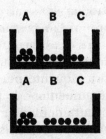

Il pensiero verticale segue i percorsi più probabili, il pensiero laterale esplora quelli meno probabili

Il pensiero laterale può essere intenzionalmente contraddittorio. Con il pensiero laterale si cerca di individuare gli approcci meno evidenti piuttosto che quelli più probabili. Ciò che conta è la volontà di esplorare i percorsi meno probabili, perché sovente può non esserci nessun'altra ragione per esplorarli. All'ingresso in un improbabile percorso non c'è nulla da indicare che valga la pena di esplorare e tuttavia esso può condurre a qualcosa di utile. Con il pensiero verticale si procede in avanti lungo il percorso più ampio che punta nella giusta direzione.

Il pensiero verticale è un processo finito, il pensiero laterale è di tipo probabilistico

Con il pensiero verticale ci si aspetta di arrivare a una risposta. Se si utilizza una tecnica matematica una risposta è garantita. Con il pensiero laterale può non esserci alcuna risposta. Il pensiero laterale aumenta le possibilità di una ristrutturazione dei modelli, di una soluzione intuitiva. Ma può darsi che tali evenienze non si presentino. Il pensiero verticale promette almeno una soluzione minima. Il pensiero laterale aumenta le possibilità di una soluzione al massimo livello ma non fa promesse.

Se in un sacchetto ci sono alcune palline nere e solo una bianca la probabilità di estrarre quella bianca è bassa. Se cominciate ad aggiungere delle palline bianche al sacchetto, la vostra probabilità di estrarre una pallina bianca continua ad aumentare. Ma in nessun momento potreste essere assolutamente certi di estrarre una pallina bianca. Il pensiero laterale aumenta le possibilità di dar luogo a una ristrutturazione intuitiva e quanto più si migliora nel pensiero laterale tanto più aumentano le possibilità. Il pensiero laterale è una procedura definibile come il mettere più palline bianche nel sacchetto, ma il risultato è ancora probabilistico. Tuttavia il sorgere di una nuova idea o una ristrutturazione intuitiva di una vecchia idea possono essere talmente grandi che vale la pena di provare il pensiero laterale perché non c'è nulla da perdere. Laddove il pensiero verticale si trovasse di fronte a un vicolo cieco, si dovrebbe far uso del pensiero laterale anche se le possibilità di successo fossero molto basse.

Sommario

Le differenze fra pensiero laterale e verticale sono assolutamente fondamentali. I processi sono del tutto distinti. Non è in discussione la maggiore o minore efficacia di un processo rispetto all'altro perché entrambi sono necessari. La questione è di rendersi conto delle differenze allo scopo di riuscire a usarli entrambi efficacemente.

Con il pensiero verticale si fa uso dell'informazione in sé allo scopo di avanzare verso una soluzione.

Con il pensiero laterale si utilizza l'informazione non per il suo valore intrinseco bensì allo scopo di dare impulso a una rimodellizzazione.

3

ATTEGGIAMENTI VERSO IL PENSIERO LATERALE

A causa della sua grande differenza dal pensiero verticale, sono in molti a sentirsi a disagio dinanzi al pensiero laterale. Preferirebbero piuttosto considerarlo semplicemente come una parte del pensiero verticale oppure che non esistesse proprio. Qui di seguito si espongono alcuni degli atteggiamenti più comuni.

Nonostante si apprezzi l'efficacia delle soluzioni intuitive e il valore delle nuove idee, non esiste alcun metodo pratico per poterle conseguire. Se ne può solamente attendere la venuta e riconoscerle dopo che si sono presentate

Si tratta di un atteggiamento negativo che non prende in considerazione né il meccanismo dell'intuizione né quello dell'informazione prigioniera di modelli stereotipati. L'intuizione si produce grazie alle modificazioni nella successione di modelli determinate dalla stimolazione* provocatoria cui provvede il pensiero laterale. L'informazione prigioniera di vecchi modelli stereotipati può spesso presentarsi di propria iniziativa in un modo nuovo quando il modello è disgregato. È una funzione propria del pensiero laterale quella di liberare l'informazione sfidando i cliché. Considerare l'intuizione e l'innovazione come una questione di probabilità non spiega perché alcune persone siano costantemente più abili di altre nel produrre più idee. In ogni caso è possibile compiere i passi necessari per incoraggiare un processo casuale. L'efficacia del pensiero laterale nel generare nuove idee si può dimostrare sperimentalmente.

Quando si afferma che una soluzione è stata raggiunta grazie al pensiero laterale esiste sempre un percorso logico attraverso cui sarebbe stato possibile giungere alla soluzione. Di conseguenza, ciò che si è ipotizzato quale pensiero laterale non è niente più che un appello per un miglior pensiero logico

È assolutamente impossibile dire se una soluzione particolare sia stata raggiunta grazie a un processo di tipo verticale o laterale. Il pensiero laterale è la descrizione di un processo non di un risultato. Il fatto che non si possa arrivare a una soluzione grazie al pensiero verticale non significa che non si riesca a raggiungerla grazie al pensiero laterale.

Se una soluzione è accettabile, allora per definizione deve esserci una ragione logica per accettarla. È sempre possibile descrivere un percorso logico col senno di poi *quando una soluzione viene esplicitata.* Ma riuscire a raggiungere quella soluzione tramite questo percorso retrospettivo è un'altra questione. Lo si può dimostrare in modo alquanto semplice proponendo certi problemi di difficile soluzione: quando sono risolti la soluzione è evidente. In tali casi è impossibile formulare l'ipotesi secondo cui ciò che rendeva difficile il problema era la mancanza della logica elementare necessaria.

È una caratteristica delle soluzioni intuitive e delle nuove idee quella di essere ovvie una volta che siano state scoperte. In sé ciò dimostra quanto la logica sia insufficiente nella pratica, altrimenti siffatte semplici soluzioni sarebbero dovute arrivare molto prima. In termini assoluti, non si può dimostrare l'impossibilità di imboccare un percorso logico se è possibile mostrarne uno col senno di poi (tranne che con riferimento alla meccanica del trattamento dell'informazione nella mente). In termini pratici, tuttavia, è assolutamente evidente che la dimostrazione a posteriori di un percorso logico non indica che si sarebbe giunti alla soluzione in questo modo.

Dal momento che ogni pensiero efficace è pensiero logico, allora il pensiero laterale appartiene propriamente al pensiero logico

Quest'obiezione può sembrare semplicemente un sofisma semantico. Naturalmente, non importa affatto che il pensiero laterale sia considerato come distinto dal pensiero logico, o come parte di esso, purché se ne comprenda la vera natura. Se con pensiero logico si intende significare esattamente il pensiero efficace allora il pensiero laterale deve ovviamente esservi incluso. Se con pensiero logico si intende significare una successione di passi ciascuno dei quali deve essere corretto allora il pensiero laterale se ne discosta nettamente.

Se l'obiezione prende in considerazione il comportamento della mente nel trattamento dell'informazione allora la questione diventa più che un sofisma semantico. Infatti, secondo questo comportamento è logico essere illogici. È ragionevole essere irragionevoli. Se così non fosse, non scriverei un libro sull'argomento. Ma qui, di nuovo, si usa logico nel senso di «efficace» e non nel senso del processo operativo che conosciamo.

In pratica l'inclusione del pensiero laterale nell'ambito del pensiero logico offusca solamente la distinzione e tende a renderlo inutilizzabile, ma non superfluo.

Il pensiero laterale equivale alla logica induttiva

Questo argomento si basa sulla distinzione fra logica deduttiva e induttiva. Si assume che qualsiasi cosa differente dalla logica deduttiva debba essere equivalente a qualsiasi altra cosa che pure sia differente dalla logica deduttiva. Esiste una qualche rassomiglianza fra logica induttiva e pensiero laterale nel fatto che entrambi operano dall'esterno della struttura anziché all'interno. Tuttavia il pensiero laterale può operare dall'interno della struttura allo scopo di determinare un rimodellamento mediante procedimenti quali l'inversione, la distorsione, la contestazione, il capovolgimento eccetera. La logica induttiva è essenzialmente ragionevole: si compie uno sforzo severo per essere corretti proprio come nella logica deduttiva. Il pensiero laterale, tuttavia, può essere intenzionalmente e scientemente irragionevole allo scopo di stimolare un nuovo modello. Sia la logica deduttiva sia quella induttiva sono interessate alla formazione dei concetti. Il pensiero laterale è maggiormente interessato alla cesura concettuale, tramite la stimolazione e la disgregazione allo scopo di permettere alla mente di ristrutturare i modelli.

Il pensiero laterale non è affatto una modalità intenzionale di pensiero bensì una virtù creativa di cui sono dotate alcune persone e altre no

C'è chi si trova meglio col pensiero laterale proprio come c'è chi va meglio in matematica ma ciò non significa che non esista un procedimento che possa essere appreso e usato. Si può dimostrare che il pensiero laterale può indurre la produzione di un maggior numero di idee e per definizione il talento non lo si può insegnare. Il pensiero laterale non ha niente di misterioso, è un metodo di trattamento dell'informazione.

Il pensiero laterale e il pensiero verticale sono complementari

Alcuni sono scontenti del pensiero laterale perché ritengono che minacci la validità del pensiero verticale. Non è affatto così. I due processi sono complementari non antagonistici. Il pensiero laterale è utile per generare idee e orientamenti mentre il pensiero verticale è utile per svilupparli. Il pensiero laterale aumenta l'efficacia del pensiero verticale offrendogli più elementi su cui operare una selezione. Il pensiero verticale moltiplica l'efficacia del pensiero laterale facendo un uso corretto delle idee generate.

È probabile che si faccia quasi sempre uso del pensiero verticale, ma, quando si ha necessità di ricorrere al pensiero laterale, non c'è virtù del pensiero verticale che lo possa supplire. È pericoloso insistere con il pensiero verticale quando si dovrebbe far uso di quello laterale. Occorre essere abili in entrambi i tipi di pensiero.

Il pensiero laterale è come la retromarcia in un'automobile. Non si cercherebbe mai di guidare sempre in retromarcia. D'altro canto, occorre disporne e saperla usare per poter fare manovra e uscire da un vicolo cieco.

4

LA NATURA FONDAMENTALE
DEL PENSIERO LATERALE

Nel capitolo 2, la natura del pensiero laterale veniva mostrata in opposizione al pensiero verticale. In questo capitolo, la natura fondamentale del pensiero laterale viene mostrata in sé.

Il pensiero laterale si occupa di modelli in trasformazione

Con modello si intende l'elaborazione dell'informazione sulla superficie mnesica che è la mente. Un modello è una sequenza iterabile di attività neurali. Non c'è bisogno di definirlo ancora più rigidamente. In pratica, un modello è costituito da qualsiasi concetto, idea, pensiero, immagine ripetibili. Un modello può anche riferirsi a una successione ripetibile nel tempo di tali concetti o idee. Un modello può anche riferirsi a un ordinamento di altri modelli che insieme compongono un approccio a un problema, un punto di vista, un modo di vedere le cose. Non esiste alcun limite alla dimensione di un modello. Gli unici requisiti di un modello dovrebbero essere l'iterabilità, la riconoscibilità e l'utilizzabilità.

Il pensiero laterale si occupa di modelli in trasformazione. Anziché prendere un modello e poi svilupparlo come avviene nel pensiero verticale, il pensiero laterale cerca di ristrutturare il modello mettendo insieme gli elementi in modo diverso. Poiché la sequenza d'arrivo dell'informazione in un sistema automassimizzante ha un influsso così potente sul modo in cui viene ordinata, è necessaria una sorta di ristrutturazione dei modelli allo scopo di fare il miglior uso dell'informazione in essi imprigionata.

In un sistema automassimizzante dotato di memoria, l'elaborazio-
ne dell'informazione deve sempre essere inferiore a quella migliore
possibile

La rielaborazione dell'informazione in un altro modello
costituisce la ristrutturazione intuitiva. Lo scopo del riordi-
namento è quello di trovare un modello migliore e più efficace.

È possibile che si sia sviluppato gradualmente un particolare modo di considerare le cose. Un'idea che era molto
utile in passato oggi può non essere più feconda, e nondimeno l'idea attuale si è sviluppata direttamente da quell'i-
dea vecchia e antiquata. Un modello si può sviluppare in
un modo particolare in quanto derivato dalla combinazione di altri due modelli, ma se fosse stata disponibile in una
volta tutta l'informazione, il modello sarebbe stato del tutto diverso. Un modello può persistere perché è utile e adeguato, e tuttavia una ristrutturazione del modello potrebbe
dare origine a qualcosa di gran lunga migliore.

Nel diagramma alla pagina seguente due elementi si
presentano insieme e formano un modello. Questo modello poi si combina con un altro modello simile in una maniera lineare. Senza l'aggiunta di qualche nuovo elemento
il modello può improvvisamente essere ristrutturato dando
luogo a un modello di gran lunga migliore. Se tutti e quattro gli elementi fossero stati presentati in una volta, ne sarebbe risultato unicamente questo modello finale, ma a
causa della *sequenza d'arrivo* degli elementi è stato l'altro
modello a svilupparsi.

Il pensiero laterale è sia un atteggiamento sia un metodo d'uso del-
l'informazione

L'atteggiamento del pensiero laterale riguarda qualsiasi
modo particolare di vedere l'utilità delle cose, senza per
questo considerarle uniche o assolute. Vale a dire che si riconosce l'utilità di un modello ma anziché considerarlo

inevitabile lo si guarda soltanto come un modo di mettere insieme gli elementi. Quest'atteggiamento mette in dubbio l'assunzione secondo cui ciò che al momento attuale è un modello utile sarebbe anche l'unico modello possibile. Quest'atteggiamento mitiga dunque l'arroganza rigorista e dogmatica. L'atteggiamento del pensiero laterale implica innanzi tutto il rifiuto di accettare modelli rigidi e in secondo luogo un tentativo di mettere insieme gli elementi in modi diversi. Con il pensiero laterale si cerca sempre di generare alternative, di ristrutturare modelli. Non si tratta tanto di dichiarare errato o inadeguato il modello comunemente accettato. *Il pensiero laterale non è mai un giudizio.* Si può essere completamente soddisfatti del modello comunemente accettato e tuttavia cercare di generare modelli alternativi. Finché si tratta di pensiero laterale l'unica cosa che può essere errata riguardo a un modello è l'arrogante rigidità con cui viene sostenuto.

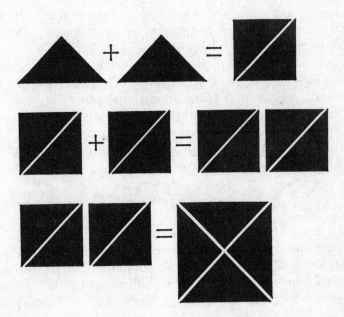

Oltre a essere un atteggiamento, il pensiero laterale è anche un modo particolare d'uso dell'informazione allo scopo di determinare la ristrutturazione di modelli. Esistono tecniche specifiche che si possono utilizzare intenzionalmente e queste tecniche verranno discusse successivamente. Alle loro fondamenta stanno certi princìpi generali. Nel pensiero laterale l'informazione non viene usata per se stessa ma per il suo effetto. Questo modo di utilizzare l'informazione implica uno sguardo in avanti non all'indietro: l'interesse non si volge tanto alle ragioni che ci hanno condotto a un'informazione e ne giustificano l'uso, quanto agli effetti che potrebbero seguire un tale uso. Nel pensiero verticale si mettono insieme le informazioni in una struttura, un passaggio o un percorso. L'informazione va a far parte di una linea di sviluppo. Nel pensiero laterale si fa uso dell'informazione per modificare la struttura, non per integrarla nella struttura stessa.

Si può usare uno spillo per tenere insieme due fogli di carta o per punzecchiare qualcuno e farlo saltare. Il pensiero laterale non stabilizza bensì stimola. Trova il suo scopo nel causare la rimodellizzazione. Poiché non è possibile ristrutturare un modello seguendone la linea di sviluppo, il pensiero laterale può essere intenzionalmente contraddittorio. Per la stessa ragione il pensiero laterale può fare uso di informazioni irrilevanti o implicare la sospensione del giudizio e permettere a un'idea di svilupparsi anziché escluderla dichiarandola erronea.

Il pensiero laterale è direttamente correlato al trattamento dell'informazione da parte della mente

La necessità del pensiero laterale sorge dai limiti di un sistema mnesico automassimizzante. Un siffatto sistema ha la funzione di creare modelli per poi perpetuarli. Il sistema non contiene alcun meccanismo adeguato per la trasformazione dei modelli e il loro aggiornamento. Il pensiero laterale è un tentativo di conseguire questa ristrutturazione o funzione intuitiva.

Non solo la necessità del pensiero laterale sorge dal trattamento dell'informazione da parte della mente ma la sua efficacia dipende anche da questo comportamento. Il pensiero laterale fa uso dell'informazione in modo stimolante. Il pensiero laterale smembra i vecchi modelli allo scopo di liberare l'informazione. Il pensiero laterale stimola la formazione di nuovi modelli giustapponendo informazioni improbabili. Tutte queste manovre produrranno un effetto utile soltanto in un sistema mnesico automassimizzante che rielabora le informazioni in un nuovo modello. Senza questo comportamento del sistema il pensiero laterale sarebbe puramente distruttivo e inutile.

5

L'USO DEL PENSIERO LATERALE

Quando si è acquisito l'abito mentale del pensiero laterale, non è necessario che ci venga detto in quali occasioni usarlo.

Nel corso del presente volume il pensiero laterale viene tenuto completamente distinto dal pensiero verticale allo scopo di evitare confusioni. Si procede in questo modo anche perché si possa acquisire una certa abilità nel pensiero laterale senza indebolire la propria capacità nel pensiero verticale. Quando si raggiunge una completa familiarità con il pensiero laterale non c'è più bisogno di tenerlo separato. Non occorre più avere coscienza del fatto che si sta usando il pensiero laterale o quello verticale. I due pensieri si fondono in modo tale che in un certo momento si fa uso del pensiero verticale e nel successivo di quello laterale. Tuttavia esistono certe situazioni che esigono l'uso intenzionale del pensiero laterale.

Nuove idee

Quasi sempre non si ha coscienza della necessità di nuove idee anche se si mostra una certa soddisfazione quando vengono alla luce. Non si tenta di generare nuove idee perché si ritiene che esse non si possano creare mediante tentativi. Per quanto le nuove idee siano sempre utili, ci sono periodi in cui si è più consapevoli di averne bisogno. Esistono anche lavori che richiedono un flusso continuo di nuove idee (ricerca, progettazione, architettura, ingegneria, pubblicità eccetera).

La creazione intenzionale di nuove idee è sempre difficile. Il pensiero verticale non è di grande aiuto, altrimenti sarebbe molto più facile trovare idee nuove, si riuscirebbe davvero a programmare un computer in grado di sfornarne. Si può attendere la sorte o l'ispirazione oppure si può pregare per avere il dono della creatività. Il pensiero laterale è un modo per certi versi premeditato per provarci.

Molte persone ritengono che nuove idee significhino nuove invenzioni sotto forma di meccanica capacità creativa. Questa è forse la forma più naturale che una nuova idea possa assumere, ma nel novero delle nuove idee ci sono pure nuovi modi di fare le cose, di guardare gli elementi, di organizzare le cose e di presentarle, nuove idee a proposito delle idee. Dalla pubblicità all'ingegneria, dall'arte alla matematica, dalla cucina allo sport, c'è sempre richiesta di nuove idee. Occorre che tale esigenza non sia soltanto un'indicazione generale ma che sia specifica a piacimento. È veramente possibile prefiggersi di generare nuove idee.

Risolvere il problema

Anche se non c'è alcun incentivo a generare nuove idee sono i problemi stessi a costringerci a provvedere in merito. C'è poca scelta se non cercare di risolverli. Un problema non deve essere necessariamente presentato in maniera formale né come una questione da risolvere con carta e penna. *Un problema è semplicemente la differenza fra ciò che si ha e ciò che si vuole.* Esistono tre tipi di problema:

• il primo tipo esige per essere risolto, più informazioni o tecniche migliori di trattamento dell'informazione;

• il secondo tipo di problema non esige alcuna nuova informazione bensì la rielaborazione dell'informazione già disponibile: una ristrutturazione intuitiva;

• il terzo tipo di problema è dovuto all'assenza del problema. Si è bloccati dall'adeguatezza dell'ordinamento preesistente nell'eventuale spostamento verso uno migliore. Non c'è alcun punto in cui si possano concentrare i propri sforzi per raggiungere un ordinamento migliore perché non si è neppure coscienti del fatto che ne possa esistere uno. Il problema è rendersi conto che esiste un problema: rendersi conto che le cose si possono migliorare e definire questa consapevolezza come un problema.

Il primo tipo di problema è risolvibile mediante il pensiero verticale. Per risolvere il secondo e il terzo tipo di problema è necessario il pensiero laterale.

Elaborare la scelta percettiva

Il pensiero logico e la matematica sono entrambi tecniche di elaborazione dell'informazione nella seconda fase. Possono essere utilizzate solo alla conclusione della prima fase. In questa prima fase l'informazione viene distribuita dalla scelta percettiva nei pacchetti che così subiscono un trattamento efficace grazie alle tecniche della seconda fase. È la scelta percettiva che determina che cosa va in ciascun pacchetto. *La scelta percettiva è il comportamento modellizzante naturale della mente.* Anziché accettare i pacchetti offerti dalla scelta percettiva e procedere mediante elaborazione logica o matematica, si potrebbe pretendere di elaborare i pacchetti stessi. Per far questo si dovrebbe far uso del pensiero laterale.

Riesame periodico

Riesaminare periodicamente significa osservare di nuovo le cose che sono date per certe, che sembrano al di là di ogni dubbio. Riesaminare periodicamente significa mettere in dubbio tutti gli assunti. Non è tanto questione di rie-

saminare qualcosa perché occorre farlo; può non essercene affatto bisogno. Lo scopo è semplicemente di riesaminare qualcosa perché è presente e non è stata esaminata
per un lungo periodo. È un intenzionale *e del tutto ingiusti-
ficato* tentativo di guardare le cose in un modo nuovo.

Prevenzione dalle divisioni nette e dalle polarizzazioni

Forse l'impiego più essenziale del pensiero laterale si attua quando non lo si usa con intenzione ma è operante come atteggiamento. Come abito mentale il pensiero laterale
dovrebbe prevenire il sorgere di quei problemi che vengono creati solamente dalle divisioni nette e dalle polarizzazioni imposte dalla mente all'oggetto di studio. Se da una
parte si ammette l'utilità dei modelli creati dalla mente,
dall'altra si fa uso del pensiero laterale per contrastarne
l'arroganza e la rigidità.

6

TECNICHE

Nei capitoli precedenti ci siamo occupati della natura e dell'uso del pensiero laterale. Leggendoli probabilmente ci siamo fatti una idea chiara di quello di cui si occupa il pensiero laterale. La reazione più comune è quella di comprendere e accettare al momento della lettura ciò che è stato scritto per poi dimenticarlo così rapidamente da conservare soltanto una vaga impressione dell'oggetto del pensiero laterale. E non c'è nemmeno da meravigliarsene, perché le idee sono cose immateriali. Anche se si pervenisse davvero a una chiara idea circa la natura del pensiero laterale, sarebbe molto difficile trasmetterla senza inglobarla in qualcosa di più sostanziale.

Un riconoscimento superficiale dello scopo del pensiero laterale non basta. Si deve sviluppare qualche abilità nell'uso reale di questo tipo di pensiero. Una siffatta abilità la si può sviluppare soltanto se si ha abbastanza pratica. Non si dovrebbe attendere l'organizzazione formale di una tale pratica, ma è ciò che spesso accade. Le tecniche che vengono descritte nelle pagine seguenti vogliono offrire occasioni formali per praticare il pensiero laterale. Alcune fra le tecniche possono sembrare più laterali di altre. Altre possono persino sembrare cose che si fanno sempre in ogni caso, o almeno che si immagina sempre di fare.

Alla base di ciascuna di queste tecniche ci sono i princìpi fondamentali dell'uso laterale dell'informazione. Non occorre porre l'accento su questi princìpi né tantomeno occorre metterli a nudo.

Lo scopo delle tecniche formali è quello di fornire un'occasione per l'uso pratico del pensiero laterale in modo tale che si possa gradualmente acquisirne il relativo abito mentale. Le tecniche non vengono proposte come pratiche formali che devono essere esattamente apprese in modo da poter essere poi intenzionalmente applicate. Ciò nondimeno si possono usare le tecniche in questa maniera ed è possibile usarle come tali finché non si acquisisce una sufficiente familiarità con il pensiero laterale in modo da poter fare a meno di tecniche formali.

Ciascun paragrafo è suddiviso in due parti. La prima parte riguarda la natura e lo scopo della tecnica. La seconda parte consiste in consigli per la pratica reale della tecnica in un'aula scolastica o in altro contesto. Il materiale proposto è destinato unicamente a consigliare il genere di materiali che l'insegnante potrebbe mettere insieme. La raccolta di ulteriori materiali e la gestione delle riunioni dedicate alla pratica sono state discusse nella Prefazione di questo volume.

7
LA GENERAZIONE DI ALTERNATIVE

Il principio essenziale del pensiero laterale recita: ogni modo particolare di considerare le cose è solo uno fra molti altri modi possibili. Il pensiero laterale riguarda l'esplorazione di questi altri modi servendosi della ristrutturazione e della rielaborazione dell'informazione disponibile. Proprio la parola «laterale» suggerisce il movimento a lato per generare modelli alternativi anziché il movimento rettilineo in avanti con lo sviluppo di un solo modello particolare. Il diagramma sottostante ne offre un'illustrazione.

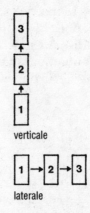

verticale

laterale

Probabilmente la ricerca di modi alternativi di considerare le cose sembra essere naturale. Secondo la maggioranza delle persone si tratta di qualcosa che si compie da sempre. È così fino a un certo punto, ma la ricerca laterale di alternative va ben oltre la ricerca naturale.

Nelle ricerca naturale di alternative si cerca il miglior

approccio possibile, nella ricerca laterale si tenta di produrre il maggior numero possibile di alternative. Non si è alla ricerca del *miglior* approccio ma del maggior numero possibile di approcci *differenti*.

Nella ricerca naturale ci si ferma quando si giunge a un approccio promettente. Nella ricerca laterale si riconosce l'approccio promettente e ci si può ritornare in seguito ma si procede generando altre alternative.

Nella ricerca naturale si prendono in considerazione solamente le alternative ragionevoli. Nella ricerca laterale di alternative queste non devono per forza essere ragionevoli.

La ricerca naturale di alternative è più spesso un'intenzione che una realtà. La ricerca laterale di alternative è intenzionale.

La differenza principale è lo scopo che sta alla base della ricerca di alternative. La propensione naturale è la ricerca di alternative allo scopo di trovare la migliore. Nel pensiero laterale, invece, lo scopo della ricerca è quello di allentare la rigidità dei modelli e stimolarne di nuovi. In questa ricerca di alternative possono accadere diverse cose.

È possibile generare una quantità di alternative per poi fare ritorno a quella originaria più evidente.

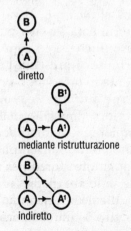

Un'alternativa generata potrebbe rivelarsi un utile punto di partenza, potrebbe veramente risolvere i problemi senza ulteriore fatica, potrebbe servire a riordinare gli elementi in modo tale da dare soluzione indiretta al problema.

Quand'anche in un caso particolare la ricerca di alternative dimostrasse di essere una perdita di tempo, essa contribuirebbe comunque a sviluppare l'abitudine alla ricerca di alternative anziché alla cieca accettazione dell'approccio più ovvio.

La ricerca di alternative non esclude l'impiego dell'approccio più ovvio, semplicemente ne rimanda l'uso. Aggiunge una lista di alternative all'approccio più probabile ma non gli sottrae nulla. In realtà, la ricerca valorizza l'approccio più probabile. Anziché venir scelto perché sembra l'unico, questo approccio viene scelto perché è semplicemente il migliore fra molte altre possibilità.

Quantità di alternative

Affinché la ricerca da buona intenzione divenga consuetudine pratica si può fissare una quantità di alternative da trovare, ovvero un numero stabilito di modi alternativi di considerare una situazione. Il vantaggio di averne una quantità predeterminata sta nel fatto che si procede a generare alternative finché si è raggiunta la quantità stabilita e ciò significa che se si presenta un'alternativa particolarmente promettente in uno stadio precoce della ricerca ci si limita a prenderne atto e si va avanti anziché esserne soggiogati. Un ulteriore vantaggio della quantità prefissata è che si deve compiere uno sforzo per trovare o generare alternative anziché attendere semplicemente le alternative naturali. Si compie uno sforzo per raggiungere il numero prefissato anche se le alternative generate sembrano artificiali o persino ridicole. La quantità opportuna può essere fissata in tre, quattro o cinque alternative.

Avere una quota prestabilita non blocca naturalmente la generazione di altre alternative ma assicura che se ne creino il minimo indispensabile.

Pratica

Figure geometriche

Il vantaggio delle figure è dato dal fatto che il materiale visivo si presenta in forma inequivocabile. Uno studente può osservare il materiale e farne ciò che vuole ma il materiale rimane lo stesso. Questo è in contrasto con il materiale verbale a cui il tono, l'enfasi, le sfumature individuali di significato conferiscono un sapore singolare che non è percepibile da tutti.

Il vantaggio delle figure geometriche sta anche nel fatto che si tratta di modelli comuni, descritti da parole semplici. Ciò significa che è possibile passare rapidamente da una descrizione a un'altra senza incontrare alcuna difficoltà nell'illustrare il modo in cui guardare la figura.

figura

A
un triangolo sopra
un rettangolo

B
un quadrato
privo di due
angoli

C
due metà di un rettangolo
una accanto all'altra

D
prospetto di una
casa

L'insegnante parte dalle figure geometriche allo scopo di indicare la generazione di alternative in argomento. Quando l'idea è chiara può passare a esempi meno artificiali.

In pratica l'insegnante affronta la situazione nel modo seguente:

1. La figura viene mostrata sulla lavagna all'intera classe oppure fornita a ciascuno studente su un singolo foglio di carta.

2. Agli studenti si domanda di ipotizzare modi diversi di descrizione della figura.

3. L'insegnante può allora raccogliere o meno le alternative scritte, a seconda della dimensione della classe e del tempo disponibile.

4a. (elaborati non raccolti):

L'insegnante chiede un volontario per la descrizione della figura. Se non si fa avanti nessuno indica qualcuno e gli chiede di descrivere la figura. Avendo ottenuto la prima descrizione l'insegnante chiede altre varianti. Le altre varianti possibili vengono elencate.

4b. (elaborati raccolti):

L'insegnante può selezionare uno o due elaborati senza bisogno di vagliarli tutti. Legge ad alta voce la descrizione. Poi chiede altre varianti o passa in rassegna gli elaborati accumulati e seleziona qualche variante.

Se il tempo è sufficiente, fra una lezione e l'altra l'insegnante potrebbe esaminare gli elaborati e tracciare un istogramma dell'elenco delle varianti proposte (vedi sotto). L'istogramma viene poi mostrato durante la lezione successiva.

tipo: numero dei soggetti che utilizzano la descrizione
A 11
B 8
C 2
D 12

5. La funzione dell'insegnante è quella di incoraggiare e accettare le variazioni, non di giudicarle. Se una variante particolare sembra poco appropriata, l'insegnante non la condanna ma chiede a chi l'ha prodotta di spiegarla con maggiore completezza. Se, come è naturale, il resto della classe non riuscisse a persuadersi di accettare questa variante inopportuna, allora sarebbe preferibile metterla alla fine della lista. Ma non la si dovrebbe respingere.

6. Laddove si presentasse qualche difficoltà nella generazione di varianti, l'insegnante dovrebbe introdurre qualche altra possibilità da lui stesso predisposta in anticipo.

Materiali

1. Come descrivereste la figura sottostante?

Alternative

Due circonferenze unite da una retta.

Una retta con una circonferenza a ciascun estremo.

Due circonferenze ciascuna dotata di una breve coda e disposte in modo tale che le code siano allineate e si incontrino.

Due grondaie sovrapposte.

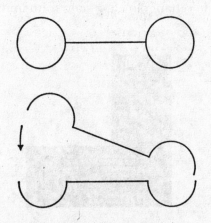

Commento

Si potrebbe obiettare che «due circonferenze unite da una retta» è in effetti lo stesso di «una retta con una circonferenza ai due estremi». Ma non è così poiché nell'un caso l'attenzione è posta anzitutto sulla circonferenza e nell'altro sulla retta. Dal punto di vista di quanto accade nella mente la sequenza relativa all'attenzione è della massima importanza, perciò una sequenza diversa è sufficiente per costituire una differenza.

Alcune descrizioni possono essere statiche, passibili cioè di spiegazione nei termini della figura mostrata. Altre possono essere descrizioni dinamiche che si possono più facilmente raffigurare con ulteriori diagrammi. Questo accade quando il diagramma presentato viene assunto quale punto conclusivo di un ordinamento di altre figure.

2. Come descrivereste la figura sottostante?

Alternative

Una forma a L.

Una squadra da muratore.

Una forca capovolta.

Mezza cornice di quadro.

Due rettangoli sovrapposti.

Un grande rettangolo cui è stato tolto un rettangolo più piccolo.

Commento

Qualche difficoltà sorge quando la forma presentata viene paragonata a un oggetto reale come una «squadra da muratore». La difficoltà sta nel fatto che questa specie di descrizione apre la via a un numero illimitato di altre descrizioni, fra le quali, per esempio, l'identificazione della forma come un edificio visto dall'alto. Il punto da tenere a mente molto chiaramente è il seguente: *si domanda al soggetto una descrizione alternativa della figura presentata, non lo si interpella su che cosa potrebbe essere la figura o su che cosa evochi.* La descrizione deve essere tale che un terzo riesca veramente a disegnare la figura in base alla descrizione. Di conseguenza, l'ipotesi secondo cui la figura è simile a un edificio visto dall'alto è inutile a meno che dell'edificio non si specifichi che è a forma di L, nel qual caso la descrizione è: «a forma di L». Non bisogna d'altra parte insistere affinché la descrizione sia molto precisa, per esempio i «due rettangoli sovrapposti» dovrebbero in effetti contenere un'indicazione dell'orientamento, ma non si deve essere pedanti perché si rischia di smarrire ciò che è importante.

Alcune descrizioni possono indicare un processo particolare. Descrizioni quali «due rettangoli sovrapposti» o «un grande rettangolo cui è stato tolto un rettangolo più piccolo» esigono effettivamente che si prenda in considerazione qualche altra figura e poi la si tolga o la si trasformi. Questo è chiaramente un metodo valido di descrizione. Si devono prendere in considerazione tipi fondamentali di descrizione:

la costruzione a partire da unità più piccole;

il confronto con un'altra figura;

la trasformazione di un'altra figura per somma o sottrazione.

Come sopra, può accadere di dover rappresentare con ulteriori diagrammi che cosa si intenda. Se non si riesce a capire da soli che cosa uno studente voglia dire, gli si domandi di fornire una spiegazione.

3. Come descrivereste la figura sottostante?

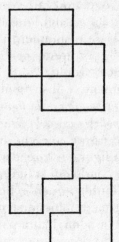

Alternative

Due quadrati parzialmente sovrapposti.
Tre quadrati.
Due forme a L che contornano un quadrato.
Un rettangolo diviso a metà con le due parti fuori squadra.

Commento

La descrizione «due quadrati sovrapposti» sembra tanto evidente da far sembrare scandalosa qualsiasi altra. Questo fatto illustra quanto sia forte il dominio dei modelli ovvi. Ancora una volta si può considerare che «due quadrati sovrapposti» sia la stessa cosa di «tre quadrati», poiché il secondo modello è implicato dal primo. Questa è una tendenza cui occorre resistere perché spesso anche un cambiamento minimo nel modo in cui si osserva una cosa può creare un'enorme differenza. Si deve resistere alla tentazione di asserire che una descrizione significa la stessa cosa di un'altra e, di conseguenza, che si tratta di un sofisma.

Possono esserci descrizioni elaborate che cercano di essere talmente esaurienti da abbracciare tutte le possibilità: «Due quadrati che si sovrappongono in un angolo in modo tale che l'area di sovrapposizione sia un quadrato con lato di circa la metà di quello dei quadrati di partenza». Descrizioni così esaustive riproducono all'incirca il diagramma e perciò includono tutti i generi delle altre descrizioni. Tuttavia queste altre descrizioni devono comunque essere accettate nella loro correttezza. Logicamente una descrizione può essere ridondante in quanto è implicata da un'altra, ma intuitivamente la stessa descrizione può far uso di nuovi modelli. Per esempio, l'idea di *tre* quadrati è utile anche se è implicita nella descrizione della sovrapposizione.

4. Come è costruito il modello della pagina seguente?

Alternative

Un piccolo quadrato contornato da quadrati grandi.

Un quadrato grande con piccoli quadrati agli angoli.

Una colonna di quadrati grandi posta obliquamente per dare un modello a scala.

Un'unità di base costituita da un quadrato grande e da uno piccolo.

Prolunga gli estremi di un quadrato piccolo e disegna gli altri piccoli quadrati su questi estremi prolungati.

Una linea si divide in tre parti e le perpendicolari sono tracciate a ogni terzo.

In un modello a reticolo alcuni dei piccoli quadrati sono raccolti in un certo modo e contornati e poi le linee interne sono tolte per formare quadrati grandi.

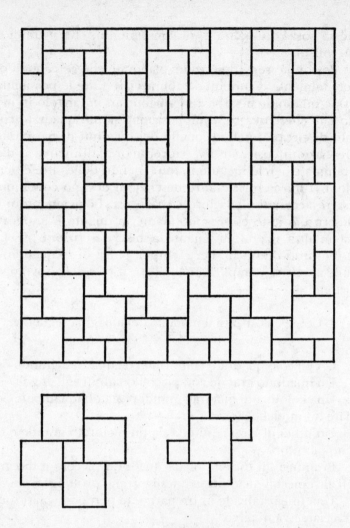

Dei quadrati grandi vengono posti l'uno contro l'altro in modo tale che la metà di ciascun lato si sovrapponga al lato di ciascun quadrato adiacente.

Due modelli sovrapposti di linee, uno ad angolo retto rispetto all'altro.

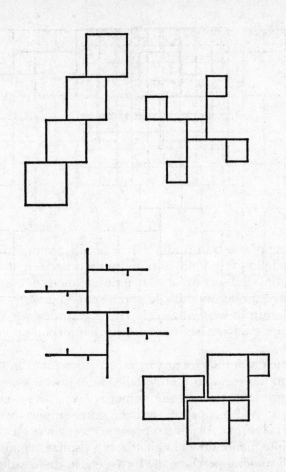

Commento

Ci sono moltissime altre varianti oltre a quelle elencate sopra. Le descrizioni proposte devono essere realizzabili. La descrizione dovrebbe indicare chiaramente come si osserva il modello. L'importante è la varietà dei possibili modi di trattamento dei modelli: in termini unicamente di quadrati grandi, in termini di quadrati piccoli solamente, in termini sia di quadrati grandi sia di quadrati piccoli, in termini di linee, in termini di spazi, in termini di un modello a reticolo.

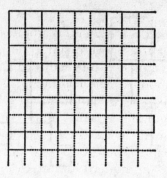

• **Attività**

Gli esempi mostrati finora chiedono diverse descrizioni di un modello presentato. Si può quindi procedere dai differenti modi di osservare le cose ai diversi modi di costruirle. Questo è molto più difficile perché con la descrizione si tratta soltanto di selezionare ciò che è già presente, mentre, per fare qualcosa, si deve introdurre quel che non c'è.

5. Come dividereste un quadrato in quattro parti uguali?
(Per questo esempio è preferibile che ogni studente cerchi di rappresentare il maggior numero di versioni possibili e di offrire un nuovo approccio anziché stare semplicemente a guardare la lavagna. Alla fine si possono raccogliere gli elaborati, se l'insegnante desidera analizzare i risultati, oppure lasciarli agli studenti perché siano loro a registrare le varie versioni.)

Alternative
Sezioni.
Quattro quadrati più piccoli.
Diagonali.
Divisione del quadrato in sedici piccoli quadratini e successiva composizione degli stessi a forma di svastica o di L come è mostrato nella pagina seguente.
Altre forme come si vede nella pagina seguente.

Commento

La maggioranza degli studenti si attiene alle sezioni, alle diagonali e ai quattro piccoli quadrati. Si introduce allora l'idea di dividere il quadrato in sedici quadratini e di metterli insieme in modi diversi. Il principio successivo asserisce che ogni linea che va da un punto sul perimetro del quadrato a un equivalente punto all'estremo opposto divide il quadrato a metà della stessa forma. Ripetendo la linea perpendicolarmente si può dividere il quadrato in quarti. Naturalmente c'è un numero infinito di forme che questa linea può assumere. Può capitare che qualche studente proponga delle varianti di questo principio senza rendersene conto. Anziché elencare ciascuna delle varianti, le si mette insieme sotto un unico principio.

Una variante di questo principio comporta la divisione a metà del quadrato e poi la divisione di ciascuna metà a sua volta a metà. Per ogni metà varrà così ogni divisione che passa attraverso il centro di quella metà e di forma equivalente da ciascuna parte rispetto al punto. Ciò introduce una gamma del tutto nuova di forme.

Poiché non si tratta in questo caso di un esercizio di geometria o disegno e progettazione, l'intenzione non è di esplorare tutte le possibili vie per eseguire la divisione. Quel che si cerca di fare è mostrare che ci sono altri modi anche quando si è convinti che non ce ne possano essere. Di conseguenza, l'insegnante attende finché non vengono proposti altri modi e allora introduce le varianti suggerite sopra, una alla volta. (Può naturalmente accadere che tutte le varianti elencate sopra vengano introdotte dagli studenti stessi.)

6. Come dividereste un quadrato di cartone per ottenere una forma a L dotata della stessa area del quadrato? Potete usare non più di due tagli. (Si possono utilizzare dei veri quadrati di cartone, ma i disegni dovrebbero bastare.)

Alternative

Le due sezioni rettangolari (si veda la figura alla pagina seguente).

Il ritaglio di un piccolo quadrato.

La sezione diagonale.

Commento

Il requisito «non usare più di due tagli» introduce l'elemento costrittivo. La costrizione non vuole essere restrittiva, al contrario incoraggia lo sforzo verso la scoperta di alternative difficili anziché verso la ricerca di facili soddisfazioni.

Poiché si è abituati a occuparsi di linee verticali e orizzontali nonché di angoli retti, non è facile trovare il metodo della diagonale. Forse il modo migliore per scoprirlo è di «sezionare il quadrato diagonalmente e poi osservare dove si ottiene il risultato». In effetti, si può cominciare con l'uso di stratagemmi provocatori anziché di semplici mosse analitiche.

Forme non geometriche

Avendo utilizzato le forme geometriche per illustrare la ricerca intenzionale di alternative (e anche la possibilità di tali alternative), si può passare a situazioni più complesse, nelle quali l'importante non è tanto selezionare modelli standard quali alternative bensì combinare gli elementi per presentare un modello.

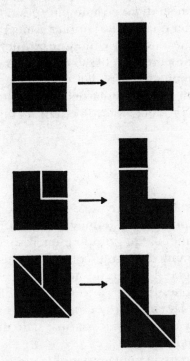

7. Una bottiglia del latte da un litro riempita con mezzo litro d'acqua. Come descrivereste questa bottiglia?

Alternative
Una bottiglia d'acqua mezza vuota.
Una bottiglia del latte riempita a metà d'acqua.

Mezzo litro d'acqua in una bottiglia del latte da litro vuota.

Commento

In sé l'esempio della bottiglia del latte è banale. Ma serve a illustrare come possano esservi due modi completamente diversi di osservare le cose. Esso mostra anche che quando si è scelto un metodo, quello alternativo di solito viene ignorato. È interessante notare che quando la bottiglia è piena a metà di latte viene più spesso descritta come mezza vuota, ma quando è riempita a metà d'acqua viene tendenzialmente descritta come mezza piena. Ciò probabilmente accade perché nel caso del latte si nota il calo da una bottiglia piena, mentre nel caso dell'acqua si nota il riempimento di una bottiglia del latte vuota. La storia di una situazione produce notevoli effetti sul modo in cui la si considera.

• *Immagini*

Le fotografie tratte da riviste e giornali sono le fonti più facilmente disponibili di immagini. La difficoltà sta nel renderle disponibili a un gruppo numeroso. Ci si potrebbe riuscire procurandosi singole copie di un giornale e conservandole finché il materiale non sia superato. Se sufficientemente abile, l'insegnante potrebbe disegnare delle immagini sulla lavagna ma la cosa è molto meno soddisfacente. Il tipo di materiale necessario è stato discusso nel capitolo «Istruzioni per l'uso».

Si possono usare le immagini in due modi:

• Descrivete che cosa pensate stia accadendo nell'illustrazione.

• Descrivete tre cose diverse che potrebbero accadere nell'illustrazione.

Nel metodo 1. l'insegnante usa un'immagine ambigua e domanda a ciascuna persona di dare la propria interpretazione. Alla fine raccoglie le risposte. La variabilità delle interpretazioni individuali mostra i modi alternativi di osservare l'immagine. L'insegnante non deve giudicare quale sia il modo migliore o il motivo per cui un modo di vedere sia da considerare irragionevole. E neppure rivela di che cosa tratta realmente l'illustrazione (può essersene opportunamente dimenticato).

Nel metodo 2. agli studenti viene chiesto di generare una certa quantità di interpretazioni diverse. Se gli studenti tendono a bloccarsi sull'interpretazione più ovvia e sono riluttanti a congetturarne qualsiasi altra, si può permettere loro di elencare le interpretazioni in ordine di verosimiglianza. Oltre a ciò, l'insegnante può proporre qualche stravagante suggerimento circa l'illustrazione utilizzata allo scopo di far capire quanto viene richiesto.

Esempi

Una fotografia mostra un gruppo di persone che sguazza nell'acqua bassa. Le persone non sono in costume da bagno. Sullo sfondo pare esserci una spiaggia. Sono state fornite le seguenti interpretazioni:

Un gruppo di persone colte dalla marea.

Persone che guadano un fiume straripato.

Persone che procedono a stento verso un'isola o una lingua di terra.

Guado nell'acqua in piena.

Persone che procedono a stento verso un traghetto che non riesce ad approdare.

Persone che vanno verso il litorale da una nave naufragata.

Commento

In realtà, la fotografia mostrava un gruppo di persone che protestavano per le condizioni miserevoli della spiaggia. Non era tanto importante che ognuno lo indovinasse poiché non si trattava di un esercizio di deduzione logica. Era invece importante che ci fossero diverse interpretazioni di ciò che stava accadendo. Oltre a sottolineare queste varianti, si doveva riuscire a generarle (anche solo per rifiutarle).

Esempio

Fotografia di un ragazzo seduto su una panchina del parco.

Alternative

Immagine di un ragazzo inoperoso o pigro.
Uno spazio vuoto su una panchina del parco.
Parte della panchina viene tenuta asciutta dal ragazzo.

Commento

La descrizione di questa foto è del tutto diversa rispetto all'altro esempio. Si fanno meno tentativi di dire cosa accade (per esempio un ragazzo in attesa del suo compagno, un ragazzo stanco che riposa, un ragazzo che ha marinato la scuola, un ragazzo che si gode il sole). La descrizione è invece diretta alla scena in sé piuttosto che al significato (p. es. un ragazzo su una panchina del parco, uno spazio vuoto sulla panchina). C'è anche un tentativo di vedere l'immagine in modo inconsueto. Si è andati fin troppo lontano con «parte della panchina viene tenuta asciutta dal ragazzo», ma in verità non esistono limiti. Qualsiasi immagine si presta a diversi livelli di descrizione: ciò che appare, ciò che sta accadendo e quel che è accaduto, quel che sta per accadere. Nella richiesta di alternative, all'inizio l'insegnante può lasciare completa libertà, ma in seguito specifica il livello di descrizione nel cui ambito si devono generare le alternative.

● *Immagini modificate*

Nel caso delle immagini il guaio è che troppo spesso l'interpretazione ovvia domina completamente. Non solo è difficile trovare altri punti di vista, ma questi appaiono sciocchi e artificiali. Per evitare questa difficoltà e rendere le cose più interessanti l'insegnante può modificare le immagini coprendole parzialmente. Diventa allora più difficile dire immediatamente quale ne sia il soggetto basandosi sulla parte visibile, e così si riesce a generare possibili alternative senza essere dominati da un'interpretazione evidente. Si presenta inoltre l'ulteriore incentivo alla ricerca della risposta giusta che sarebbe ovvia se l'intera immagine venisse rivelata.

Esempio

Si copre metà dell'illustrazione. Ciò che resta da vedere è un uomo in equilibrio sull'estremità di un cornicione che si sviluppa su un lato di un edificio.

Alternative

Un uomo minaccia di suicidarsi.

Salvataggio di un gatto che è rimasto bloccato su un cornicione.

Fuga da un edificio in fiamme.

Cascatore cinematografico.

Un uomo cerca di entrare nella sua camera, essendosi chiuso fuori.

Commento

Il resto dell'immagine avrebbe in effetti mostrato dei manifesti studenteschi che l'uomo stava attaccando. L'uso di immagini parziali facilita la generazione di alternative, ma alla fine bisogna ristrutturare le immagini in cui un'interpretazione ovvia rende difficile scoprire strutture alternative. Si tratta soprattutto di quelle situazioni, dominate da un'interpretazione evidente, di cui si vuole praticare la ristrutturazione. Ma si possono utilizzare immagini parziali più facili per fare esperienza. Un altro vantaggio dell'immagine parziale consiste nel fatto di indicare come la chiave interpretativa possa risiedere all'esterno di quanto è visibile. Si dà così impulso alla propensione a esaminare non solo ciò che compare nella situazione realmente considerata ma anche le cose che stanno fuori di essa.

Si possono procurare storie da giornali e riviste o persino dai libri che in altre occasioni si sono utilizzati nei corsi di studio. Con il termine «storie» non si intende designare dei racconti bensì qualsiasi resoconto scritto.

Le storie possono essere sottoposte ai seguenti tipi di trattamento:

• Generazione di differenti punti di vista sulle persone coinvolte.

• Cambiamento di una descrizione favorevole in una sfavorevole non mediante trasformazione del materiale bensì grazie a un mutamento d'accento e a un diverso modo di considerarlo.

• Derivazione di un significato differente dall'informazione data rispetto a quello ricavato dallo scrittore.

Esempio

Storia, ripresa da un giornale, di un'aquila che è fuggita dallo zoo e si dimostra di difficile cattura. È appollaiata su un alto ramo e resiste ai tentativi dei custodi di attirarla di nuovo in gabbia.

Alternative

Il punto di vista dei custodi: l'uccello può volare via e perdersi o venire ucciso a meno che non venga persuaso a tornare subito indietro. È scomodo doversi arrampicare sugli alberi all'inseguimento dell'uccello e si finisce per sentirsi un po' folli. C'è qualcuno che va redarguito per averlo lasciato fuggire.

Il punto di vista del giornalista: quanto più a lungo l'uccello resta libero più bella sarà la storia. È possibile avvicinarlo abbastanza da ottenere una buona immagine? Si dovrebbe trovare qualche altro motivo di interesse, per esempio le disparate idee della gente sul modo di catturare il volatile.

Il punto di vista dell'aquila: si chiede a che proposito

tutta quella confusione. Strana sensazione quella di non essere in gabbia. Sente un po' di fame. Non sa in che direzione volare.

Il punto di vista degli spettatori: sperano che l'aquila voli via e ritorni libera per sempre. Divertiti di assistere agli strenui sforzi per dar la caccia all'uccello. Il pennuto ha un aspetto molto più bello così, libero, che non dentro la gabbia. Forse qualcuno potrebbe mostrare la propria intelligenza catturando l'uccello quando nessun altro c'è riuscito.

Commento

Quando c'è una storia che vede il coinvolgimento di diverse persone, allora è semplice cercare di generare il punto di vista di coloro che vi sono implicati. Ogni studente potrebbe cercare di trovare un diverso punto di vista oppure ai diversi studenti potrebbe essere assegnato il compito di generare i vari punti di vista. L'esercizio non consiste tanto nel cercare di indovinare che cosa pensino gli altri quanto nel mostrare come la stessa situazione possa essere strutturata in modi diversi.

Esempio

Una storia descrive la vita scomoda in una comunità primitiva dove la gente non può leggere né scrivere e dove con il duro lavoro dei campi ci si garantisce solamente la pura sussistenza.

Alternative

La comodità come questione relativa alle abitudini di ognuno. Se si fosse adusi alle cose semplici e si riuscisse a ottenerle, forse sarebbe meglio che attendersi cose complesse rimanendo poi inappagati quando non si riuscisse ad averle.

Forse soltanto la lettura e la scrittura turbano le persone rendendole consapevoli delle cose terribili che accadono nel resto del mondo. Forse la lettura e la scrittura rendono la gente più insoddisfatta.

La maggioranza della gente di solito lavora sodo in questo o quel campo; probabilmente lavora sodo nel settore più remunerativo per riuscire effettivamente a vedere crescere qualcosa e mangiare ciò che coltiva.

Commento

Il punto di vista alternativo non deve necessariamente essere quello sostenuto dalla persona che lo genera. La persona può in realtà sostenere esattamente lo stesso punto di vista dello scrittore. Lo scopo è quello di mostrare che è possibile osservare le cose in un modo diverso. E non si tratta di cercare di dimostrare che un punto di vista è migliore di un altro. Non si tratta di sostenere, per esempio, «che la comunità primitiva può sembrare piacevole ma se si è malati non resta che morire eccetera». In pratica è difficile evitare discussioni. È anche difficile avanzare un punto di vista su cui non si è d'accordo. Il vantaggio di riuscire a presentare un punto di vista contrario consiste nel fatto che si hanno molte più possibilità di ristrutturarlo.

Esempio

Una storia può riferirsi ai capelli lunghi e agli abiti colorati degli uomini in giovane età quale esempio della loro demascolinizzazione, della loro tendenza all'effeminatezza e del fatto che non sarebbe più possibile distinguere i ragazzi dalle ragazze.

Alternative

Portare i capelli lunghi è segno di coraggio, il coraggio di sfidare le convenzioni.

Fino a tempi abbastanza recenti gli uomini hanno sempre portato i capelli lunghi, per esempio nell'epoca elisabettiana, e lungi dall'essere meno mascolini lo erano invece di più. Quanto ai colori, erano sgargianti, non femminei. Indicavano una virile ricerca di identità individuale.

In ogni caso, perché maschi e femmine non dovrebbero assomigliarsi?

In questo modo quanto meno le ragazze avrebbero conquistato uguali diritti.

Commento

In questo tipo di ristrutturazione non è possibile introdurre informazioni aggiuntive. Certo non intende essere una presentazione dell'altra faccia della medaglia. Lo scopo è quello di mostrare che il materiale messo insieme per offrire un punto di vista può essere combinato anche in un modo completamente diverso.

Problemi

Si possono generare problemi a partire dagli inconvenienti della vita di ogni giorno o dall'esame di un giornale. Le colonne dei quotidiani sono piene di difficoltà, agitazioni, cose che sono andate male e proteste. Benché in effetti non vengano espresse sotto forma di problemi, si possono facilmente riformulare come tali. Basta esporre una problematica generale; non c'è bisogno di proporre un problema formale. Ogni situazione passibile di miglioramento, di qualsiasi grado di difficoltà, può essere utilizzata come un problema. Nell'usare materiale problematico per praticare la generazione di alternative si può procedere in due modi:

1. Generazione di modi alternativi di formulare il problema.

2. Generazione di approcci alternativi al problema.

L'accento non si pone sull'effettiva ricerca della soluzione del problema bensì sulla scoperta dei diversi modi di considerare la situazione problematica. Si può procedere verso una soluzione ma non è questo l'essenziale.

Esempio

Il problema dei bambini che si trovano separati dai loro genitori in mezzo alla folla.

1. Riformulazione

Alternative

Prevenire la separazione dei figli dai genitori.
Impedire che i bambini si smarriscano.
Trovare o restituire i bambini smarriti.
Rendere superfluo il bisogno dei genitori di portarsi i figli in mezzo a una folla (nidi alle mostre eccetera).

Commento

Alcune formulazioni alternative del problema suggeriscono effettivamente delle risposte. Tanto più generale è la enunciazione di un problema quanto meno probabile è che suggerisca risposte. Se un problema viene enunciato in termini molto generali, allora non è facile riformularlo in altro modo allo stesso livello di generalità. In tal caso si può sempre scendere a un livello più specifico allo scopo di generare alternative. Per esempio, «il problema dei figli smarriti nella folla» si potrebbe riformulare come il «problema dei genitori negligenti tra la folla» o il «problema dei bambini in mezzo alla folla», ma si potrebbe anche adoperare un livello più specifico quale il «problema di restituire i figli smarriti ai genitori».

2. Approcci diversi

Alternative

Tenere più stretti i figli ai genitori (con un guinzaglio per cani?).
Migliorare l'identificazione dei bambini (piastrina di riconoscimento con indirizzo).
Rendere superfluo il bisogno di portarsi appresso i figli tra la folla (nidi eccetera).
Punti centrali per figli e genitori dove recarsi se si perdono vicendevolmente di vista.
Tabellone dei bambini smarriti.

Commento

In questo caso molti approcci sembrano soluzioni effettive. In altre situazioni, tuttavia, gli approcci possono indicare semplicemente un modo per affrontare il problema. Per esempio, riguardo al problema dei bimbi smarriti un approccio potrebbe essere: «raccogliere dati statistici sul numero di persone che portano i propri figlioletti in mezzo alla folla perché vogliono che i figli siano presenti o perché non c'è nessuno cui poterli lasciare».

• *Tipo di problema*

Il tipo di problema da utilizzare dipende in larghissima misura dall'età degli studenti coinvolti. I problemi suggeriti, elencati qui sotto, sono suddivisi secondo due gruppi di età: giovanissimi e meno giovani.

Gruppo di giovanissimi
Lavare i piatti più facilmente e velocemente.
Recarsi a scuola puntuali.
Preparare gelati più grandi.
Recuperare un palla finita su un albero.
Gestire le monete sugli autobus.
Migliorare gli ombrelli.

Gruppo di adulti meno giovani
Ingorghi di traffico.
Spazio per gli aeroporti.
Redditività delle ferrovie.
Diminuzione congrua del costo degli alloggi.
Problema della fame nel mondo.
Che cosa dovrebbero fare i giocatori di cricket in inverno?
Perfezionamento di un progetto di tenda.

Sommario

Questo capitolo si è occupato della generazione intenzionale di alternative, che è valida in sé e non come ricerca
del miglior modo possibile di osservare le cose. Il modo
migliore può diventare naturale nel corso della ricerca ma
non si cerca effettivamente di scoprirlo. Se si stesse davvero
cercando il miglior approccio, ci si fermerebbe non appena scoperto qualcosa che sembrasse tale. Ma anziché fermarsi si procede oltre generando alternative per il loro valore intrinseco. Lo scopo della ricerca è quello di allentare
la rigidità nei modi di considerare le cose, di mostrare che
esistono sempre vie alternative se solo ci si preoccupa di
cercarle e di acquisire l'abitudine di ristrutturare i modelli.

Probabilmente è preferibile usare il metodo artificiale
della quantità determinata di alternative anziché affidarsi
semplicemente all'intenzione generale di cercar di trovare
altri modi di considerare le cose. I propositi generali funzionano quando le cose sono facili ma non quando sono
difficili. Il numero prefissato stabilisce il limite che *deve* essere raggiunto.

8
METTERE IN DISCUSSIONE I PRESUPPOSTI

Il capitolo precedente riguardava i modi alternativi di combinare le cose. Si trattava di scoprire altre maniere per mettere insieme A, B, C e D per presentare modelli diversi. Questa sezione riguarda A, B, C e D considerati in sé. Ciascuno costituisce in sé un modello accettato, standard.

Un cliché è un'espressione stereotipata, un modo stereotipato di considerare o descrivere qualcosa. Ma i cliché non si riferiscono solamente all'elaborazione delle idee bensì alle idee stesse. Di solito si assume che le idee basilari siano valide e poi si comincia ad armonizzarle per offrire modelli diversi. Ma le stesse idee basilari sono modelli che possono essere ristrutturati. Lo scopo del pensiero laterale è quello di mettere in discussione qualsiasi presupposto in quanto cerca di ristrutturare ogni modello. L'accordo generale circa un postulato non ne garantisce la correttezza. *È la continuità storica che conserva la maggior parte delle assunzioni – non un giudizio ripetuto circa la loro validità.*

La figura nella pagina seguente mostra tre forme. Supponete di doverle disporre in modo da dar origine a un'unica forma che sia facile da descrivere. C'è qualche difficoltà nel trovare una siffatta disposizione. Ma se, anziché cercare di mettere insieme le forme, le si riesaminasse a una a una, forse si scoprirebbe la possibilità di dividere in due il quadrato più grande. Dopo di che sarebbe più facile disporre tutte le forme in una forma globale semplice. Con questo esempio si intende solamente illustrare come talvolta un problema non possa essere risolto cercando ordinamenti diversi degli elementi dati ma solo mediante il riesame degli elementi stessi.

Se il problema di cui sopra fosse veramente posto come un problema e ne venisse data la soluzione indicata, immediatamente si griderebbe all'«imbroglio». Si leverebbe una protesta riguardo al fatto che non si poteva supporre la possibilità di modificare le forme date. Un tale clamore per l'«imbroglio» rivela sempre l'uso di certi confini o limiti presupposti.

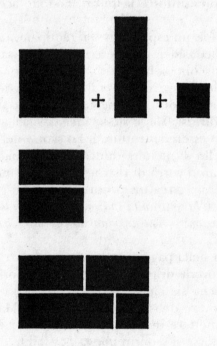

Nella risoluzione dei problemi si presuppongono sempre certi confini. Tali confini rendono molto più facile la soluzione del problema riducendo l'area all'interno della quale la risoluzione del problema deve aver luogo. Se qualcuno dovesse fornirvi un indirizzo di Londra, potrebbe essere difficile trovarlo. Se vi dicesse che è a nord del Tamigi sarebbe un po' più facile. Se qualcuno vi dicesse che è a una distanza percorribile a piedi da Piccadilly Circus sarebbe ancora più facile. Così accade nel caso della risoluzione dei problemi che stabilisce i limiti entro i quali condurre l'indagine. Se arriva qualcun altro e risolve il problema fuoriuscendo dai limiti si leva immediato il grido: «all'imbroglio». Eppure di solito ci si autoimpone dei limiti, spesso su fondamenta non più salde della convenienza. Se questi confini o limiti sono erroneamente stabiliti, può rivelarsi impossibile risolvere il problema come lo sarebbe trovare un indirizzo a sud del Tamigi guardando a nord del fiume.

Poiché sarebbe del tutto impossibile riesaminare ogni cosa da vicino, si deve dare per scontata la maggior parte delle cose in qualsiasi situazione, si tratti o meno di una situazione problematica. Nella tarda mattinata di un sabato stavo camminando lungo una via commerciale quando vidi un fioraio che offriva un grande mazzo di garofani per i quali chiedeva solamente due scellini (dieci nuovi pence). Sembrava un buon affare e io supposi che, essendo alla fine della giornata, egli si liberasse dei fiori rimastigli. Lo pagai, dopo di che egli staccò un mazzetto di quattro o cinque garofani dal mazzo grande e me li porse. Il mazzetto era un autentico mazzo avvolto con un po' di filo. Fu solamente il mio desiderio ad avermi fatto supporre che il mazzo offerto si riferisse a tutti i fiori tenuti in mano dal fioraio.

Un nuovo quartiere residenziale era stato appena completato. Alla cerimonia di inaugurazione si constatò che tutto sembrava un po' basso. I soffitti erano bassi, le porte erano basse, le finestre erano basse. Nessuno riusciva a capire che cosa era successo. Alla fine si scoprì che qualcuno aveva sabotato i metri in dotazione agli operai tagliando qualche centimetro all'estremità di ciascun metro. Naturalmente, usando il metro, ogni operaio aveva presupposto che gli strumenti di misura fossero quanto meno precisi poiché venivano utilizzati per mostrare l'esattezza di ogni altra cosa.

In Svizzera si produce un'acquavite di pere nelle cui bottiglie si può vedere l'intero frutto. Come è stata imbottigliata la pera? Di solito si congettura che il collo della bottiglia sia stato chiuso dopo che vi è stata collocata la pera. Altri ipotizzano che il fondo della bottiglia sia stato aggiunto dopo aver posto la pera all'interno. Si presuppone sempre che, poiché la pera è un grosso frutto maturo, debba essere stata messa in bottiglia come tale. In realtà se un rametto recante un piccola gemma venisse inserito attraverso il collo della bottiglia, la pera crescerebbe all'interno e non sussisterebbe il problema della sua introduzione.

Nel mettere in dubbio i presupposti si sfida la necessità di confini e limiti e la validità di singoli concetti. Nel pensiero laterale, infatti, non si tratta in generale di attaccare i postulati come se fossero errati. E nemmeno di proporre le migliori alternative. L'importante è semplicemente cercare di ristrutturare i modelli. E, per definizione, i presupposti sono modelli che di solito sfuggono al processo di ristrutturazione.

Lezione pratica

1. Problemi di dimostrazione

Problema

A un architetto di giardini viene ordinato di piantare quattro alberi speciali in modo tale che ciascuno sia esattamente alla stessa distanza dagli altri. Come sistemereste gli alberi?

La procedura abituale è quella di cercare di disporre

quattro punti su un foglio di carta in modo che ciascun punto sia equidistante da ogni altro. La cosa si rivela irrealizzabile. Il problema sembra di impossibile soluzione.

Il presupposto è che gli alberi vengano tutti piantati sullo stesso piano del terreno. Se si mette in dubbio questa assunzione, si scopre che gli alberi si possono invece piantare nel modo specificato. Così, un albero viene piantato in cima a un colle e gli altri tre sui fianchi della collina. In tal modo sono tutti equidistanti l'uno dall'altro (in realtà si trovano ai vertici di un tetraedro). È inoltre possibile risolvere il problema collocando un albero in fondo a una fossa e gli altri tre sul ciglio della stessa.

Problema

Si tratta di un vecchio problema che, però, fa il punto della questione con estrema precisione. Nove punti vengono disposti come si vede nella pagina seguente. Il problema è quello di collegare questi nove punti usando solo quattro linee rette una di seguito all'altra senza staccare la matita dal foglio.

A tutta prima il problema sembra facile e si fanno diversi tentativi per unire i punti. Poi si scopre che ci vogliono sempre più di quattro linee. Il problema sembra impossibile.

Qui l'assunzione di partenza è che le rette debbano unire i punti e non debbano fuoriuscire dai confini stabiliti dalle linee esterne che congiungono i punti. Se si supera quest'assunzione e si va oltre il confine dei punti il problema sarà di facile soluzione come si vede nella figura di pagina seguente.

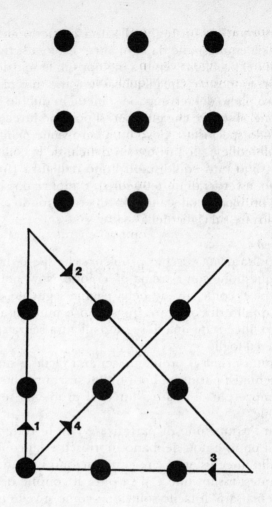

Problema

Un uomo lavorava in un alto edificio per uffici. Ogni mattina prendeva l'ascensore al pianterreno, premeva il bottone dell'ascensore per il decimo piano, usciva dall'ascensore e saliva fino al quindicesimo piano. Alla sera avrebbe poi preso l'ascensore al quindicesimo piano uscendone al pianterreno. Perché si comportava così?

Le spiegazioni fornite sono varie, e fra esse ci sono le seguenti:

L'uomo voleva tenersi in esercizio.

Voleva conversare con qualcuno salendo dal decimo al quindicesimo piano.

Voleva ammirare il panorama mentre saliva.

Voleva far credere alla gente che lavorava al decimo piano (che poteva essere più prestigioso) eccetera.

In realtà l'uomo agiva in questo modo particolare perché non aveva scelta. Era un nano e non riusciva a raggiungere i bottoni più alti del decimo piano.

Il presupposto naturale è che l'uomo sia perfettamente normale e che sia il suo comportamento a essere anormale.

È possibile generare altri problemi di questo tipo. Si possono anche raccogliere esempi di comportamento che sembrano bizzarri finché non se ne conoscono le ragioni sottostanti. Lo scopo di questi problemi è semplicemente quello di mostrare che l'accettazione di presupposti può rendere difficile o impossibile la soluzione di un problema.

2. Il problema dei parallelepipedi

Problema

Prendete quattro parallelepipedi (può trattarsi di scatole di fiammiferi, libri, confezioni di pasta o detersivo). Il problema è di disporli in certi modi particolari. Questi modi sono determinati da come i parallelepipedi entrano in contatto l'uno con l'altro nella disposizione. Perché due parallelepipedi vengano considerati a contatto, ogni parte di ogni superficie piana deve essere in contatto: un angolo o un bordo non contano.

Le disposizioni specificate sono le seguenti:

1. Disporre i parallelepipedi in modo che ciascuno sia a contatto con altri due.

2. Disporre i parallelepipedi in modo che un parallele-

pipedo sia a contatto con un altro, uno sia a contatto con altri due e un altro ancora sia a contatto con altri tre.

3. Disporre i parallelepipedi in modo che ciascuno sia a contatto con gli altri tre.

4. Disporre i parallelepipedi in modo che ciascuno sia a contatto soltanto con un altro.

Soluzioni

1. Per risolvere questo caso esistono diversi modi, uno di questi è mostrato a p. 98. Si tratta di una disposizione «circolare» in cui ciascun parallelepipedo è a contatto con due vicini, uno di fronte e uno dietro.

2. Spesso nel caso di questo problema si presenta qualche difficoltà perché si *presuppone* che esso debba venir risolto secondo la successione in cui è formulato, ovvero un parallelepipedo a contatto con un altro, un parallelepipedo a contatto con altri due, un parallelepipedo a contatto con altri tre. Ma se si parte invece dalla coda mettendo a contatto un parallelepipedo con altri tre, allora questa disposizione può essere progressivamente modificata per dar luogo alla disposizione di cui alla figura.

3. Alcune persone sono in grande difficoltà di fronte a questo problema perché *presuppongono* che tutti i parallelepipedi debbano giacere sullo stesso piano (ovvero siano sparsi sulla superficie utilizzata). Appena ci si libera da quest'assunzione e si comincia a mettere i parallelepipedi uno sopra l'altro, è possibile giungere alla disposizione richiesta.

4. Si presenta un sorprendente numero di difficoltà nella soluzione di questo problema. L'errore comune è quello di disporre i parallelepipedi in una lunga fila. In tale fila i parallelepipedi terminali sono effettivamente a contatto solamente con un altro ma quelli centrali hanno due vicini. In effetti, alcune persone dichiarano che il problema è insolubile. La disposizione corretta è semplicissima.

Commento

La maggioranza delle persone risolve i problemi di disposizione dei parallelepipedi giocherellandoci e osservando che cosa succede. Non succederebbe granché se si facesse questo senza preoccuparsi di far entrare a contatto i parallelepipedi l'uno con l'altro. Così, per comodità si assume che i parallelepipedi debbano tutti essere a contatto l'un l'altro in qualche modo (ovvero deve esserci un'unica disposizione). È questo limite artificiale, questo presupposto a rendere così difficile la soluzione dell'ultimo problema che in sé è tanto facile.

La tecnica del «perché»

Questo è un gioco che offre l'occasione per mettere praticamente in dubbio i presupposti. È inoltre possibile farne un uso intenzionale in quanto tecnica. La tecnica del «perché» è molto simile alla comune consuetudine dei bambini di chiedere sempre «perché». La differenza consiste nel fatto che di solito si chiede «perché» quando non si conosce la risposta, mentre con la tecnica del «perché» ci si interroga proprio quando si conosce la risposta. La comune risposta al «perché» spiega qualcosa di non familiare in termini che sono familiari quanto basta da costituire una spiegazione accettabile. Con la tecnica del «perché» anche questi termini familiari vengono messi in questione. Non esistono vacche sacre.

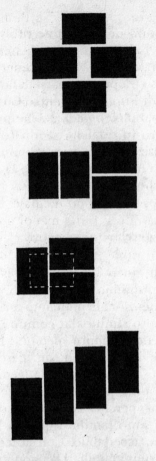

Il procedimento è più difficile di quanto non sembri.
Esiste una tendenza naturale a esaurire le spiegazioni o ad
aggirarle fornendo una spiegazione che è già stata utilizzata in precedenza. Esiste anche la tendenza altrettanto natu-

rale di rispondere il «perché» se l'interrogativo verte su qualcosa di estremamente evidente. La sostanza dell'esercizio consiste nell'evitare di credere che qualsiasi cosa sia tanto evidente da meritare una risposta in termini di «perché».

L'insegnante propone un enunciato e poi lo studente chiede «Perché?». L'insegnante offre una spiegazione che a sua volta s'incontra con un altro «Perché?». Se il procedimento non fosse nient'altro che una ripetizione automatica di «perché», difficilmente occorrerebbe una seconda persona che chieda perché, a meno che lo studente non faccia proprio l'abito mentale di non presupporre nulla. In pratica non si tratta mai di una ripetizione automatica di «perché». L'interrogativo riguarda qualche particolare aspetto della spiegazione antecedente anziché una risposta globale. È possibile mettere a fuoco il «perché».

Esempi

Perché le lavagne [*blackboards*] sono nere?

Perché altrimenti non sarebbero state chiamate lavagne [*blackboards*].

Perché dovrebbe importarci del modo in cui sono state chiamate?

Non dovrebbe importarci.

Perché?

Perché le lavagne sono qui perché ci si scriva o ci si disegni sopra.

Perché?

Perché se c'è da mostrare qualcosa a tutta la classe è più facile scrivere sulla lavagna dove ognuno può vedere.

Ma il botta e risposta qui sopra riportato avrebbe anche potuto prendere un andamento del tutto diverso.

Perché le lavagne sono nere?

Perché i segni del gesso bianco possano essere visti facilmente.

Perché volete vedere i segni del gesso bianco?

oppure:

Perché il gesso è bianco?

oppure:

Perché bisognerebbe usare il gesso bianco?

oppure:

Perché non usate il gesso nero?

In ciascuno di questi casi il «perché» è diretto a un aspetto particolare della questione e ciò determina lo sviluppo delle domande e delle risposte. L'insegnante naturalmente può anche orientarne lo sviluppo secondo il modo in cui si risponde alla domanda.

L'insegnante continua con le risposte il più a lungo possibile. Ogni tanto può tuttavia dire: «Non so. Pensate perché». Se lo studente riesce a dare una risposta, allora si possono invertire i ruoli con lo studente che risponde ai perché e l'insegnante che li pone.

Qui di seguito si propongono alcuni argomenti possibili per questo tipo di lezione:

Perché le ruote sono rotonde?

Perché le sedie hanno quattro gambe?

Perché la maggior parte delle stanze è quadrata o oblunga?

Perché le ragazze indossano abiti diversi da quelli dei ragazzi?

Perché veniamo a scuola?

Perché le persone hanno due gambe?

Lo scopo usuale del «perché» è quello di ricavare informazioni. Si desidera aver conforto da qualche spiegazione accettabile e appagante. L'uso laterale del «perché» è del tutto all'opposto. L'intenzione è quella di creare disagio con ogni spiegazione. Rifiutando di trarre conforto da una spiegazione si cerca di guardare le cose in un modo diverso e di incrementare in tal modo la possibilità di ristrutturare il modello.

Nel rispondere alla domanda l'insegnante non deve

combattere per giustificare qualcosa quale unica spiegazione. Nella sua risposta egli può suggerire delle alternative. La risposta alla domanda «Perché la lavagna dev'essere nera?» potrebbe essere: «Non deve essere nera, potrebbe essere verde o azzurra purché si veda il gesso bianco». Si deve evitare l'impressione che ci sia un'unica e necessaria ragione dietro ogni cosa. Contrapponetevi alle risposte:

«Le lavagne sono nere perché il nero è un colore utile per evidenziare i segni bianchi del gesso».

«Le lavagne sono nere perché altrimenti non vedreste cosa vi è stato scritto».

Anche se esistesse una ragione storica dietro qualcosa, l'insegnante non dovrebbe dare l'impressione che tale motivazione sia sufficiente. Supponete che le lavagne fossero veramente nere perché l'utilità del gesso bianco fu scoperta anteriormente. Sotto il profilo storico si tratta di una ragione precisa per l'uso del colore nero ma in pratica non è sufficiente. Dopo tutto essa spiega solamente perché la gente cominciò a usare il nero, ma non spiega perché è utile continuare a usarlo. Si potrebbe dire: «Le lavagne vennero in origine colorate di nero perché si era alla ricerca di una superficie per dare risalto ai segni bianchi del gesso. Da allora in poi hanno continuato a essere nere perché il nero si è dimostrato soddisfacente».

Sommario

Nell'affrontare situazioni o problemi molte cose devono esser date per scontate. Affinché si possa davvero vivere è necessario fare in ogni momento delle supposizioni. Ma ciascuno di tali presupposti è un modello stereotipato che deve essere ristrutturato per fare miglior uso dell'informazione disponibile. Oltre a ciò, la ristrutturazione di modelli più complessi può dimostrarsi impossibile a meno che non si varchi qualche confine dato per scontato. L'idea di base è mostrare che qualsiasi presupposto può comunque essere messo in discussione. Non si tratta tanto di presumere di avere il tempo per mettere in dubbio ogni presupposto in ogni occasione quanto di mostrare che niente è sacro.

L'idea non è di seminare tanti dubbi da ridursi a tremare per l'indecisione dovuta all'incapacità di dare qualcosa per scontato. Al contrario, si riconosce la grande utilità di presupposti e cliché. In realtà, si è molto più liberi di far uso di presupposti e cliché se si sa di non finirne prigionieri.

INNOVAZIONE

I due precedenti capitoli riguardavano i due aspetti fondamentali del processo del pensiero laterale:
• La generazione intenzionale di modi alternativi di considerare le cose.
• La messa in discussione dei presupposti.

In sé questi procedimenti sono ben lungi dall'essere eliminati dal comune pensiero verticale. Ciò che è diverso è il modo «irragionevole» con cui vengono applicati i procedimenti e lo scopo sottostante l'applicazione. Il pensiero laterale ha a che vedere non con lo sviluppo bensì con la ristrutturazione.

Entrambi i procedimenti sopra citati sono stati applicati allo scopo di descrivere o analizzare una situazione. Questo si potrebbe chiamare pensiero retrospettivo: consiste nel guardare un elemento che è presente ed esaminarlo attentamente. Il pensiero anticipatore comporta l'andare avanti. Il pensiero anticipatore implica lo sviluppo di qualcosa di nuovo più che l'analisi di qualcosa di vecchio. L'innovazione e la creatività implicano il pensiero anticipatore. La distinzione fra pensiero retrospettivo e pensiero anticipatore è completamente arbitraria. Non esiste una reale distinzione perché può essere necessario guardare indietro in un modo nuovo allo scopo di andare avanti. Una descrizione creativa può essere generativa proprio quanto un'idea creativa. Sia il pensiero retrospettivo sia quello anticipatore si occupano di modificazione, miglioramento, produzione di effetti. In pratica però il pensiero retrospettivo riguarda più la spiegazione di un effetto mentre il pensiero anticipatore riguarda maggiormente la produzione di un effetto.

Prima di passare a esaminare l'innovazione è necessario considerare un aspetto del pensiero che si applica molto più al pensiero anticipatore che non al pensiero retrospettivo. Questo è l'oggetto della valutazione e sospensione del giudizio.

10
SOSPENSIONE DEL GIUDIZIO

Lo scopo del pensiero non è tanto di essere vero quanto di essere efficace. L'efficacia in definitiva comporta la verità ma fra le due cose esiste una differenza importantissima. Essere nel vero significa esserlo in ogni momento. Essere efficaci significa essere nel vero solo alla fine.

Il pensiero verticale implica l'essere sempre nel vero. Il giudizio viene esercitato in ogni fase. Non è permesso fare un passo che non sia veridico. Non è permesso accettare un'elaborazione dell'informazione che non sia vera. Il pensiero verticale è selezione mediante esclusione. Il giudizio è il metodo dell'esclusione e la negazione («no», «non», «nessuno») ne è lo strumento.

Con il pensiero laterale si permette di sbagliare lungo il percorso anche se alla fine si deve essere nel vero. Con il pensiero laterale è consentito fare uso di elaborazioni dell'informazione in sé non valide allo scopo di determinare una ristrutturazione che sia valida. Può rivelarsi necessario passare a una posizione insostenibile allo scopo di riuscire a trovare una posizione sostenibile.

Nel pensiero laterale non ci si occupa tanto della natura di un'elaborazione dell'informazione ma di dove essa può condurre. Così, anziché giudicare ogni elaborazione e accettare solamente quelle valide, si sospende il giudizio fino all'ultimo. Non si tratta tanto di fare a meno del giudizio quanto di differirlo fino alla fine.

In quanto processo, il pensiero laterale si occupa di cambiamenti non di prove. L'importanza si sposta dalla validità di un particolare modello all'utilità di quel modello nel generarne altri.

Non c'è niente di «irragionevole» relativamente ai processi del pensiero laterale descritti finora, ma la necessità di sospendere il giudizio pone una differenza così essenziale rispetto al pensiero verticale da renderne molto più ardua la comprensione.

L'educazione si basa saldamente sulla *necessità di essere nel vero in ogni momento*. Attraverso l'educazione ci vengono insegnati i fatti corretti, le deduzioni corrette da fare a partire dai fatti e il modo corretto di fare queste deduzioni. Si impara a essere corretti mediante la sensibilizzazione verso ciò che è scorretto. Si impara ad applicare il giudizio in ogni fase e a rafforzare questo giudizio con l'etichetta «no». Si impara a dire «no», «questo non è così», «questo non può essere così», «questo non porta a quello», «in questo punto sei in errore», «questo non funzionerebbe mai», «non esistono ragioni per quella tal cosa» eccetera. Questo genere di certezza è l'autentica essenza del pensiero verticale e dà conto della sua enorme utilità. Il pericolo sta nell'arroganza dell'atteggiamento secondo cui il pensiero verticale sarebbe sufficiente. Non lo è. L'esclusivo rilievo dato alla necessità di essere sempre nel vero esclude completamente la creatività e il progresso.

La necessità di essere sempre nel vero è il maggiore ostacolo esistente verso le nuove idee. È preferibile avere varie idee anche se qualcuna di queste è errata piuttosto che essere sempre nel vero senza avere alcuna idea.

La necessità di fare uso di elaborazioni stimolatrici dell'informazione allo scopo di determinare la rimodellizzazione intuitiva è dettata dal comportamento della mente quale sistema mnesico automassimizzante.* In pratica, differendo il giudizio si incontra questa necessità. Il giudizio viene sospeso durante la fase produttiva del pensiero allo scopo di poterlo poi applicare durante la fase selettiva. La natura del sistema è tale che un'idea sbagliata in una certa fase può condurre a una giusta in seguito.

Lee de Forest scoprì l'utilissima valvola termoionica seguendo l'erronea idea che una scintilla elettrica alterasse il comportamento di un getto di gas. Marconi trasmise con successo segnali attraverso l'Atlantico pur credendo che le onde seguissero la curvatura della terra.

I maggiori pericoli della necessità di essere sempre nel vero sono i seguenti:

• Un'arrogante certezza accompagna il corso del pensiero che, pur corretto in sé, può essere partito da premesse errate.

• Un'idea scorretta che avrebbe condotto a un'idea corretta (o a una sperimentazione utile) viene messa da parte in uno stadio troppo precoce se non può venire giustificata.

• Si suppone che essere nel vero sia sufficiente: una elaborazione *adeguata* blocca la possibilità di un'elaborazione migliore.

• L'importanza attribuità all'essere nel vero in ogni momento alimenta la paura inibitoria di compiere errori.

Differimento del giudizio

Un capitolo successivo tratterà del processo laterale che implica l'essere intenzionalmente in errore al fine di dare impulso a una rielaborazione dell'informazione. Ciò che viene qui considerato è semplicemente il *differimento del giudizio* anziché la sua applicazione immediata. In pratica il giudizio può essere applicato in qualsiasi delle seguenti fasi:

• Giudizio relativo all'importanza di un settore d'informazione per la materia considerata. Precede lo sviluppo di qualsiasi idea.

• Giudizio sulla validità di un'idea nel proprio processo interiore di pensiero. Accantonare tale idea anziché indagarla.

• Giudizio di correttezza relativo a un'idea prima di offrirla agli altri.

• Giudizio su un'idea proposta da qualcun altro, sia che si rifiuti di accettarla sia che in effetti la si condanni.

Sotto questo profilo il giudizio, la valutazione e la critica vengono considerati processi analoghi. La sospensione del giudizio non implica la sospensione della condanna: il processo implica la sospensione del giudizio se il risultato è favorevole o in altre circostanze.

La sospensione del giudizio può avere i seguenti effetti:

– Un'idea sopravviverà più a lungo e alimenterà ulteriori idee.

– Altre persone proporranno delle idee che il loro stesso giudizio avrebbe rigettato. Siffatte idee possono essere estremamente utili a coloro che le accolgono.

– Le idee degli altri si possono accettare per il loro effetto di stimolo anziché respingerle.

– Idee che vengono giudicate erronee all'interno del quadro attuale di riferimento possono sopravvivere quanto basta per mostrare che il quadro di riferimento ha bisogno di una modificazione.

Nel diagramma di pagina seguente A è il punto di partenza di un problema. Nell'affrontare il problema si va verso K ma questa idea è fallace e così viene respinta. Si va invece verso C. Ma da C non si può andare in nessun luogo. Se ci si fosse mossi verso K allora si sarebbe potuto procedere di lì verso G e da G verso B che è la soluzione. Quando si fosse giunti a B, allora si sarebbe riusciti a scorgere il percorso corretto da A attraverso P.

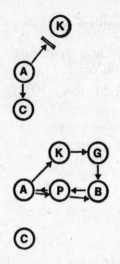

Applicazione pratica

Si è discusso del principio della sospensione del giudizio. L'applicazione pratica di questo principio deve essere delineata perché non ha senso accettare il principio ma non applicarlo mai. In pratica il principio conduce ai seguenti comportamenti:

• Non ci si precipita a giudicare o valutare un'idea. Non si considera il giudizio o la valutazione come la cosa più importante che si possa fare rispetto a un'idea. Si preferisce indagare.

• Alcune idee sono evidentemente erronee anche quando non si è compiuto alcun tentativo di giudizio. In casi simili si sposta l'attenzione dal perché si presenta l'errore al come si possa utilizzarlo.

• Anche se si sa che un'idea deve alla fine essere respinta, si differisce quel momento allo scopo di trarre la maggiore utilità possibile dall'idea stessa.

• Anziché forzare un'idea nella direzione indicata dal giudizio, si prosegue dietro di essa.

Un secchio con dei buchi non può trasportare molta acqua. C'è chi lo butterebbe via. O chi osserverebbe quanto si potrebbe andare lontano e con quanta acqua. Nonostante i buchi, il secchio può essere molto utile per determinare un certo effetto.

11
PROGETTAZIONE

Se non si ha solamente intenzione di copiare, la progettazione richiede una certa quantità di innovazione. La progettazione è un ambito fecondo entro cui praticare i princìpi del pensiero laterale che sono stati discussi fino a questo punto. Lo stesso processo progettuale viene discusso per esteso in un paragrafo successivo; in questo capitolo si utilizza la progettazione come pratica per il pensiero laterale.

Pratica

I progetti devono essere visivi, in bianco e nero o a colori. È possibile aggiungere delle descrizioni verbali alle immagini per spiegare certi tratti o per spiegarne la funzione. I vantaggi di una dimensione visiva sono numerosi.

1. Si deve fare assegnamento in maniera definita su un modo di fare qualcosa più che su una vaga descrizione generalizzata.

2. Il progetto grafico è un'espressione visibile a tutti.

3. L'espressione visiva di una struttura complessa è molto più facile dell'espressione verbale. Sarebbe un peccato limitare la progettazione all'abilità di descrizione verbale.

I progetti si potrebbero elaborare come esercizio in classe o potrebbero essere eseguiti come compiti a casa. È più semplice se tutti gli studenti lavorano sullo stesso progetto, piuttosto che su scelte individuali, perché in tal caso ogni commento si applica a tutti loro, ci sono più possibilità di confronto e tutti sono maggiormente coinvolti nell'analisi.

È opportuno che tutti i progetti vengano eseguiti su fogli di carta di formato standard. Quando la consegna è stata stabilita, non si assegna nessun'altra informazione. Non si compie alcun tentativo di rendere più specifico il progetto grafico. «Fate ciò che pensate sia meglio» è la risposta a ogni domanda.

• *Commento sui risultati*

A meno che il gruppo non sia piccolo a sufficienza per potersi effettivamente riunire intorno ai disegni, questi dovrebbero essere copiati e mostrati con un proiettore o un episcopio. O potrebbero venire semplicemente appesi. Si potrebbe condurre una discussione adeguata senza mostrare per niente i disegni ma soltanto eseguendone i tratti importanti sulla lavagna. Nel commentare i risultati l'insegnante dovrebbe tenere a mente i seguenti punti:

1. Resistere alla tentazione di giudicare. Resistere alla tentazione di dire «questo non funziona perché...».

2. Resistere alla tentazione di scegliere un modo di fare le cose come di gran lunga migliore di qualsiasi altro per evitare di polarizzare il progetto in una direzione.

3. Sottolineare la varietà dei differenti modi di attuare una funzione particolare. Elencare i differenti suggerimenti e aggiungerne altri di propri.

4. Cercare di osservare la funzione soggiacente un particolare progetto. Cercare di separare l'intenzione del progettista dal risultato effettivo dell'esecuzione.

5. Notare i tratti che sono stati presentati con uno scopo funzionale e quelli che si presentano come ornamenti a completamento dell'immagine.

6. Mettere in discussione certi punti: non allo scopo di distruggerli bensì per scoprire se c'è dietro qualche speciale ragione che può non essere manifesta.

7. Osservare quanto i progetti eseguiti prendono a prestito da ciò che potrebbe esser stato visto alla televisione, al cinema o nei fumetti.

• *Suggerimenti*

La progettazione può cercare sia il miglioramento delle cose esistenti sia la concreta invenzione di qualcosa per eseguire un compito. La situazione più facile si ha quando i progetti implicano davvero qualcosa di fisico, in quanto più facile da rappresentare. Non devono essere meccanici nel senso più stretto del termine; per esempio, la progettazione di una nuova aula o di un nuovo tipo di scarpa sarebbe molto adatto. Basta che si tratti di progetti concreti. Oltre a ciò, è possibile provare con i progetti organizzativi. La progettazione organizzativa andrebbe alla ricerca di metodi di esecuzione delle cose come nel caso della costruzione di un edificio a grande velocità.

Progettazione:
Una macchina per la raccolta delle mele.
Una macchina sbucciapatate.
Un carro adatto ai terreni irregolari.
Una tazza che non può rovesciarsi.
Una macchina per scavare gallerie.
Un dispositivo per aiutare le macchine a parcheggiare.

Riprogettazione:
Il corpo umano.
Una nuova bottiglia per il latte.
Una sedia.
Una scuola.
Un nuovo tipo d'abbigliamento.
Un ombrello migliore.

113

Organizzazione:

Come costruire un edificio a gran velocità.

Come sistemare le casse in un supermercato.

Come organizzare la raccolta dei rifiuti.

Come organizzare la spesa nel minor tempo possibile.

Come mettere in opera una fognatura lungo una strada di intenso traffico.

• *Varietà*

Lo scopo della lezione sulla progettazione è quello di mostrare che ci possono essere modi diversi di fare le cose. L'importante non sta tanto nei progetti individuali quanto nel confronto fra i progetti. Allo scopo di mostrare questa varietà si potrebbero paragonare i progetti compiuti ma è molto più efficace selezionare qualche funzione particolare e mostrare come sia stata trattata dai diversi progettisti. Per esempio, nel progetto di una macchina per la raccolta delle mele si potrebbe scegliere la funzione 'raggiungere le mele'. Per raggiungere le mele alcuni studenti avranno utilizzato bracci estensibili, altri avranno sollevato l'intero veicolo su martinetti, altri ancora avranno cercato di portare a terra le mele, altri infine potrebbero aver piantato gli alberi in fossati. Per ciascuna funzione l'insegnante elenca i differenti metodi utilizzati e chiede ulteriori suggerimenti. Anch'egli può aggiungere i propri consigli o quelli derivati da precedenti esperienze in campo progettuale.

Fra le funzioni particolari nel caso della macchina per la raccolta delle mele potrebbero esserci le seguenti:

Raggiungere le mele.

Trovare le mele.

Cogliere le mele.

Trasportare le mele a terra.

Selezionare le mele.

Mettere le mele in contenitori.

Spostarsi alla pianta successiva.

Non si prospetta il caso in cui, nel portare a compimento il progetto, lo studente abbia cercato di esaurire singolarmente tutte queste funzioni. Per la maggior parte verranno contemplate del tutto inconsciamente. Tuttavia, è possibile analizzare consapevolmente che cosa è stato fatto e mostrare i diversi modi di esecuzione. In numerosi casi non sarà stato fatto alcun preparativo per eseguire una certa funzione (per esempio, il trasporto delle mele a terra). In tali casi non si debbono criticare i progetti che non presentano la funzione ma encomiare quelli che l'hanno presa in considerazione.

• *Valutazione*

Si potrebbero criticare i progetti per omissioni, errori di meccanica, di efficienza, di dimensione e per ogni altra sorta di errori. È difficile resistere alla tentazione di farlo, ma si deve resistere.

Se qualche progetto ha tralasciato degli elementi, lo si rileverà commentando quei progetti che li hanno inseriti.

Se qualche progetto mostra un dispositivo che non regge, si commenta la funzione interessata piuttosto che il modo particolare di attuazione.

Se qualche progetto mostra un modo assai tortuoso di eseguire qualcosa, lo si descrive senza fare critiche e poi si illustrano i progetti più efficaci.

Uno dei difetti più comuni relativi ai progetti degli studenti di età compresa fra i 10 e i 13 anni è la tendenza a perdere di vista la progettazione e a scendere in minuti particolari mediante il disegno di qualche veicolo che è direttamente mutuato da un'altra fonte quale la televisione o i fumetti spaziali. Così, una macchina per la raccolta delle mele verrà presentata irta di cannoni, razzi, radar e ugelli.

Saranno forniti dei dettagli circa il numero di viti, la velocità, il raggio d'azione, la potenza, l'eventuale costo di costruzione, l'eventuale tempo di costruzione, il numero di dadi e bulloni, i materiali utilizzati nella costruzione e così via. Non c'è alcun vantaggio a criticare quanto tutto ciò sia superfluo. Si metta invece in rilievo l'economia funzionale e l'efficacia di altri progetti.

È importante non criticare la meccanica reale. Un progettista di una macchina per la raccolta delle mele suggeriva di mettere dei pezzetti di metallo in ciascun frutto e poi di usare delle potenti calamite seppellite sotto ogni pianta per tirare giù le mele. Sarebbe facile criticare questo progetto come segue:

1. L'inconveniente di mettere pezzetti di metallo in ogni mela equivale a quello di raccogliere i frutti a uno a uno.

2. La calamita dovrebbe essere davvero assai potente per tirare giù le mele da tale distanza.

3. Le mele verrebbero malamente danneggiate quando colpiscono il terreno.

4. Le calamite sotterrate riuscirebbero a cogliere i frutti di una sola pianta.

Questi sono tutti commenti validi e molti altri ancora se ne potrebbero fare. Ma anziché criticare in questo modo si potrebbe dire: «Qui c'è qualcuno che anziché salire a cogliere le mele come tutti gli altri vuole attrarre le mele a terra. Anziché dover trovare le mele e poi coglierle una a una, costui le vorrebbe prendere tutte insieme in una sola volta». Sono entrambi punti di vista validi. In effetti il metodo per attuare la funzione è evidentemente inefficace, ma è preferibile lasciare che si esprima piuttosto di criticare il concetto di funzione criticando il modo di attuazione. Quando quel tale progettista verrà a saperne di più sulle calamite scoprirà che non sarebbero poi tanto valide. Al momento, tuttavia, esse rappresentano l'unico metodo di sua conoscenza per attuare l'«attrazione a distanza».

In un altro progetto per un carro adatto ai terreni accidentati il progettista consigliava una specie di «sostanza liscia» che veniva aspirata dal carro dalla parte posteriore e poi sparsa a terra davanti a esso. Così il carro si trovava sempre a lavorare su una sostanza liscia. C'era persino un serbatoio per la sera. Sarebbe facile criticare l'idea nei seguenti termini:

1. Quale genere di «sostanza liscia» colmerebbe le grandi buche? Ne occorrerebbe troppa.

2. Non si potrebbe mai aspirare nella parte posteriore la sostanza che era stata deposta e di conseguenza il rifornimento verrebbe a esaurirsi dopo pochi metri.

3. Il carro dovrebbe muoversi davvero molto lentamente.

Tali critiche sono facili ma invece bisognerebbe apprezzare il fatto che il progettista si sia allontanato dal comune approccio secondo il quale si provvede il mezzo di ruote speciali o di altri dispositivi per percorrere terreni accidentati e abbia invece tentato di modificare il *terreno stesso*. Da un siffatto concetto proviene la nozione di veicolo cingolato che effettivamente depone materiale liscio e di nuovo lo raccoglie. Esistono infatti veicoli militari dotati di un rotolo di maglia d'acciaio o di lana di vetro riposto nella parte posteriore che viene srotolato dinanzi al veicolo per fare una strada su cui poi il mezzo procede.

Benché un'idea possa sembrare sciocca in sé, può nondimeno condurre a qualcosa di utile. Come si vede nel diagramma l'idea della sostanza liscia, pur non essendo una soluzione in sé, potrebbe condurre diritto all'idea di veicolo cingolato. Se si fosse respinta l'idea della sostanza liscia, sarebbe stato più arduo arrivare allo stesso punto. L'atteggiamento non è «Questo non funzionerà, gettiamolo via» ma «Questo non funzionerà, ma dove ci porta?».

Nessuno è sciocco perché si diverte a esserlo, non importa come possa apparire agli altri. Deve esserci una ragione per cui qualcosa abbia senso per la persona che l'ha concepita e nel momento in cui l'ha concepita. Quanto appare agli occhi altrui non è così importante se si cerca di incoraggiare il pensiero laterale. In ogni caso, quale sia la ragione dietro il progetto e per quanto sciocca possa essere, nondimeno essa può costituire uno stimolo più fecondo per lo sviluppo di ulteriori idee.

• Presupposti

Nel processo progettuale c'è una tendenza a usare «elementi completi». Ciò significa che quando si mutua un elemento da una qualsiasi altra parte allo scopo di attuare qualche funzione speciale quell'elemento viene utilizzato «per intero». Così, un braccio meccanico per cogliere le mele avrà cinque dita perché l'arto umano ne ha altrettante. In un tentativo di spezzare tali unità compiute e isolare ciò che viene realmente richiesto si può mettere in discussione il presupposto che sta dietro di esse: «Perché la mano ha bisogno di cinque dita per cogliere le mele?».

È possibile anche mettere in discussione le assunzioni che sembrano fondamentali per il progetto stesso.

Perché dobbiamo *cogliere* le mele dagli alberi?

Perché gli alberi devono avere quella forma?

Perché il braccio deve andare su e giù per ogni mela che coglie?

Alcuni fra i presupposti messi in dubbio potrebbero facilmente essere dati per scontati. Mettendoli in dubbio si possono scoprire nuove idee. Per esempio si potrebbero scuotere le mele dagli alberi anziché coglierle. In California, stanno sperimentando la coltivazione di piante secondo un metodo speciale che consentirebbe di cogliere più facilmente il frutto. Il braccio non ha necessità di andare su e giù con ogni mela; le mele potrebbero essere fatte cadere in uno scivolo o in un container.

La tecnica del «perché» si può applicare a qualsiasi fase della progettazione. Per cominciare, l'insegnante la potrebbe introdurre dopo aver discusso i progetti. Anche gli studenti potrebbero applicarla ai propri elaborati o a quelli altrui. Come sempre, lo scopo della tecnica del «perché» non è di cercare di giustificare qualcosa ma di vedere che cosa accade quando si mette in dubbio l'unicità di un particolare modo di fare le cose.

Sommario

Il processo progettuale è una forma molto opportuna per sviluppare l'idea di pensiero laterale. L'accento viene posto sui modi *differenti* di fare le cose, sui modi *differenti* di osservare le cose, sulla evasione dai concetti stereotipati, sulla messa in discussione dei presupposti. La valutazione critica è temporaneamente sospesa allo scopo di sviluppare una struttura generativa della mente in cui la flessibilità e la varietà possano essere usate con sicurezza. Perché la lezione di progettazione abbia buon esito è essenziale che la persona che la segue ne comprenda lo scopo. Si tratta di pratica nel pensiero laterale non di pratica nella progettazione.

12

IDEE DOMINANTI E FATTORI CRUCIALI

Non c'è nulla di indistinto in una forma geometrica. Al pari di una situazione, essa è estremamente definita: si sa che cosa si sta osservando. Ma la maggior parte delle situazioni è molto più incerta della forma geometrica. Per lo più si ha una vaga consapevolezza della situazione e nulla più. Nel caso di una forma geometrica definita è facile pensare dei modi alternativi per dividerla e ricomporne poi le parti. È molto più difficile farlo se si ha solo una vaga consapevolezza della situazione.

Ciascuno è sicuro di conoscere ciò di cui sta parlando, ciò che sta leggendo e scrivendo, ma se gli si domanda di individuare l'idea dominante, si presenteranno delle difficoltà di scelta. È difficile trasformare una vaga consapevolezza in un enunciato definito. L'enunciato è troppo lungo e complicato oppure omette troppe cose. A volte i diversi aspetti dell'argomento non sono coerenti in modo da formare un singolo tema.

A meno che non si riesca a trasformare una vaga consapevolezza in un modello definito, è estremamente difficile generare modelli alternativi, modi diversi di considerare la situazione. In una situazione da definire si individua l'idea dominante non allo scopo di rimanerne congelati ma per riuscire a generare idee alternative.

Se non si riesce a individuare l'idea dominante, si finirà per esserne dominati. Quale che sia il modo in cui si considera la situazione si presenta la possibilità di essere dominati dalla sempre presente ma indefinita idea dominante. Uno degli scopi principali dell'individuazione dell'idea dominante è quello di riuscire a sfuggirla. È più facile sfuggire a qualcosa di definito che a qualcosa di vago. La liberazione da modelli rigidi e la generazione di modelli alternativi sono gli obiettivi del pensiero laterale. Entrambi i processi sono molto più facili se si riesce a individuare l'idea dominante.

Se non si riesce a farlo, allora ogni alternativa che viene generata sarà probabilmente prigioniera in quella vaga idea generale. Il diagramma qui sotto mostra come sia possibile avvertire che si sta generando un punto di vista alternativo e che tuttavia questo è ancora interno alla stessa struttura dell'idea dominante come il punto di vista originario. Solamente quando si diventa consapevoli della struttura si riesce a generare un punto di vista alternativo che le sia esterno.

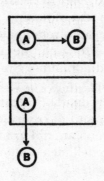

L'idea dominante non risiede nella situazione stessa bensì nel modo in cui la si considera. Alcune persone sembrano più abili nell'individuazione dell'idea dominante. E ce ne sono di più abili nel cristallizzare la situazione in un'unica proposizione. Questo può accadere perché costoro riescono a separare l'idea principale dal dettaglio o perché tendono ad avere una visione più semplice delle cose. Allo scopo di riuscire a individuare l'idea dominante si deve compiere uno sforzo cosciente per agire in questo modo e si ha bisogno di pratica.

Idee dominanti differenti

Se agli studenti si chiede di individuare l'idea dominante in un articolo di giornale, di solito esistono varie versioni differenti di che cosa sia l'idea dominante. Da un articolo sui parchi è possibile scegliere quale idea dominante una delle seguenti:

La bellezza del parco.

Il valore del parco in contrasto con le periferie urbane.

Il bisogno di sviluppare più parchi.

La difficoltà di sviluppare o preservare i parchi.

Il parco come luogo di svago e piacere.

L'autore si esercita nella funzione di contestatore e il parco si rivela un tema adatto.

Il pericolo delle esigenze di crescita urbana.

Queste sono tutte idee differenti ma correlate. È facile affermare che alcune sono veramente dominanti più di altre, eppure per la persona che ne abbia individuato una, quell'idea ha un solido dominio. Non si tratta tanto di scoprire *l'*idea dominante quanto di indossare l'abito mentale della ricerca per individuarla. Non si tratta tanto di analizzare la situazione quanto di osservarla abbastanza chiaramente da riuscire a generare differenti punti di vista. Non si tratta tanto di far uso dell'idea dominante quanto di identificarla allo scopo di evitarla.

Nella situazione di progettazione discussa nel capitolo precedente l'effetto organizzatore dell'idea dominante è del tutto naturale. L'idea dominante non viene mai effettivamente enunciata ma per gruppi diversi l'idea è diversa. Quando i bambini cercano di progettare una macchina per la raccolta delle mele, l'idea dominante è «raggiungere le mele». I bambini pensano in termini personali che rimandano al desiderio di una mela per volta e anche alla difficoltà (per un bimbo piccolo) di raggiungere effettivamente le mele. Quando lo stesso problema progettuale viene assegnato a un gruppo di ingegneri industriali l'idea dominante è l'«efficacia in termini commerciali». Questo è un concetto molto ampio che include la velocità e l'economicità dell'operazione senza danni per le mele. Da questo punto di vista raggiungere le mele non è un problema così grande come il trovarle, il coglierne molte alla volta, il portarle a terra senza danni, il tutto con una macchina economica che riesca a muoversi facilmente di pianta in pianta. In breve il problema dominante per gli ingegneri è «superare il lavoro manuale» mentre per i bambini è «ottenere le mele».

Gerarchia delle idee dominanti

Appena si comincia a individuare le idee dominanti si raggiunge la consapevolezza del fatto che esistono diversi gradi di esaustività di queste. L'idea dominante può inglobare l'intero soggetto o solamente un suo aspetto. Perciò da un articolo sulla criminalità si potrebbero individuare le seguenti idee dominanti:

Criminalità.
Comportamento delle persone.
Violenza.
Strutture sociali e criminalità.
L'andamento della criminalità.
Ciò che si può fare.

Chiaramente «criminalità» e «comportamento delle persone» sono idee molto più ampie di «violenza» o «ciò che si può fare», ma sono tutte idee dominanti fondate. Esiste una gerarchia che sale dalle idee più specifiche alle più generali. Nell'individuare l'idea dominante non si tratta tanto di andare alla ricerca dell'idea più generale e più comprensiva giacché questa potrebbe essere talmente vasta da rendere completamente impossibile una fuoriuscita da essa. Nell'individuare un'idea dominante non si tratta tanto di dover giustificare presso qualcun altro il fatto che l'idea sia l'*idea dominante* che abbraccia l'intera situazione e che di conseguenza non può essere messa in dubbio. Si tratta invece di individuare un'idea che sembra (a se stessi) dominare l'argomento. Per esempio, nell'articolo sulla criminalità l'idea dominante sarebbe forse potuta essere «l'incertezza relativa alla valutazione della pena» o «la difesa dei diritti di un cittadino pur essendo costui un criminale».

Fattore cruciale

Un'idea dominante è il tema che organizza il modo di considerare una situazione. È spesso presente ma indeterminata e si cerca di definirla allo scopo di sfuggirle. Un fattore cruciale è un qualche elemento che deve sempre essere incluso quale che sia il modo in cui si considera la situazione. Il fattore cruciale è un punto di costrizione. Al pari di un'idea dominante, un fattore cruciale può immobilizzare una situazione e rendere impossibile il cambiamento di un punto di vista; può esercitare un possente influsso senza essere mai coscientemente riconosciuto.

Nel diagramma sottostante si può vedere rappresentata la differenza fra un'idea dominante e un fattore cruciale. L'idea dominante organizza la situazione. Il fattore cruciale la tiene a freno e, benché sia concessa una certa mobilità, questa è limitata.

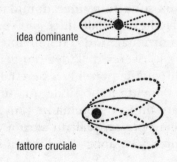

idea dominante

fattore cruciale

Scopo dell'isolamento dei fattori cruciali è la loro disamina. Molto spesso un fattore cruciale è un presupposto: almeno, la natura «cruciale» di quel fattore è un presupposto. Quando si è isolato il fattore, se ne mette in dubbio la necessità. Se si scopre che il fattore non è cruciale, allora il suo effetto di costrizione scompare e si presenta una maggiore libertà nello strutturare la situazione in modo diverso. Nel progetto di una macchina per la raccolta delle mele un fattore cruciale può essere il fatto «che le mele non devono essere danneggiate» o «che si devono raccogliere solo le mele mature». La necessità di includere tali fattori cruciali restringe il modo in cui si potrebbe considerare il problema. Per esempio, scuotere l'albero non sarebbe una buona idea.

Di fattori cruciali ve ne possono essere uno, diversi o nessuno. Varie persone possono scegliere differenti fattori cruciali. Come quando si trova l'idea dominante, l'importante è che si identifichi ciò che sembra essere il fattore cruciale secondo il proprio punto di vista. Che sia veramente quello cruciale o che altre persone la pensino allo stesso modo non ha importanza perché lo si individua soltanto per metterne in dubbio la necessità.

Nella ricerca dell'idea dominante si vuol sapere «perché consideriamo il tale elemento alla stessa maniera». Nella ricerca del fattore cruciale si vuol sapere «che cosa ci trattiene, che cosa ci fa attenere a questo vecchio approccio».

In sé, la ricerca delle idee dominanti o dei fattori cruciali non è affatto un processo del pensiero laterale. È tuttavia un passo necessario che consente di fare un uso più efficace del pensiero laterale. È difficile ristrutturare un modello senza poterne identificare i punti saldi.

Pratica

1. Si legge ad alta voce un articolo di giornale agli studenti che devono prendere nota:

(1) dell'idea (o idee) dominante;
(2) dei fattori cruciali.

Una volta raccolti i risultati, l'insegnante li esamina ed elenca le varie scelte. A una persona che ha compiuto una particolare scelta si può chiedere di spiegare perché l'abbia fatta. Lo scopo non è tanto la legittimazione della scelta o la dimostrazione che essa non era così buona come altre, quanto l'elaborazione di un punto di vista particolare. Non c'è alcun tentativo di squalificare qualcuna delle scelte o di classificarle in ordine di merito.

Se è chiaro che alcuni studenti non hanno afferrato la questione relativa alle idee dominanti e ai fattori cruciali, si mettono a fuoco quelle risposte che li evidenziano più nettamente. Se non ve ne fosse nemmeno una adatta al caso, l'insegnante dovrebbe suggerire la sua stessa scelta di idea dominante e di fattore cruciale relativa al brano utilizzato.

Non è una buona idea quella di chiedere di individuare le idee dominanti per poi elencarle sulla lavagna come veniva suggerito in precedenti paragrafi. La ragione risiede nel fatto che una scelta che sembra validissima inibirà qualsiasi ulteriore suggerimento. È di gran lunga preferibile lasciare che le persone estrapolino ciò sembra loro dominante o cruciale e poi mostrare la varietà di risposte.

2. Trasmissione radiofonica o registrazione su nastro.

Anziché la lettura del brano ad alta voce da parte dell'insegnante, si potrebbe impiegare un programma radiofonico o una registrazione radiofonica. Il vantaggio della registrazione è la sua ripetibilità.

3. Anziché ascoltare un brano letto ad alta voce gli studenti possono ricevere dei brani da studiare da soli. Questa modalità è alquanto diversa poiché c'è più tempo per esaminare il testo, l'interpretazione non viene tanto influenzata dal modo in cui il testo è stato letto e si può tornare indietro a riesaminare ciò che è stato scritto per osservare se sostiene un punto di vista particolare.

4. Discussione.

A due studenti viene chiesto di discutere un argomento di fronte alla classe. Si possono scegliere degli studenti che dichiarino di avere idee contrastanti su un argomento particolare oppure chiedere agli studenti di discutere sostenendo punti di vista opposti, ne condividano o meno il contenuto. Il resto della classe ascolta e annota l'idea dominante e i fattori cruciali della discussione. Allo scopo di cercare di controllarne la fondatezza, gli altri studenti possono porre domande ai contendenti.

5. Progettazione.

Nel corso di una progettazione o nella discussione dei suoi risultati intrapresa da altri, gli studenti possono cercare di individuare le idee dominanti e i fattori cruciali. In questo caso, essi esaminano i fattori cruciali per vedere se sono veramente tali e ciò che accadrebbe se non li si includesse nel progetto. Lo stesso si può fare riguardo alle idee dominanti: gli studenti prima individuano le idee e poi vedono come potervi sfuggire.

Ancorché sia facile combinare questa sorta di lezione pratica con i processi di pensiero laterale precedentemente descritti (e con quelli che lo saranno in seguito), probabilmente è preferibile non procedere in questo modo. Se si dovesse combinare il processo di generazione di alternative con il processo di individuazione di un'idea dominante, allora si presenterebbe una tendenza a individuare un'idea dominante in armonia con l'alternativa cui si sta pensando. La scelta di idee dominanti e fattori cruciali s'adatta rapidamente a mostrare quanto si è intelligenti nell'evitarli. Per il momento è sufficiente diventare abili nel trovare idee dominanti e fattori cruciali.

13

FRAZIONAMENTO

L'obiettivo del pensiero laterale è quello di osservare le cose in modi diversi, di ristrutturare i modelli, di generare alternative. A volte è sufficiente la semplice intenzione di generare alternative. Un siffatto intendimento può far sì che si faccia una pausa per guardarsi intorno prima di procedere troppo oltre con il modo naturale di considerare la situazione. Quando ci si guarda intorno è possibile scoprire che ci sono alternative in attesa di essere esaminate. In altri casi la semplice intenzione di generare alternative non è sufficiente. Da sola la buona volontà non riesce a generare alternative. È necessario fare uso di qualche altro metodo più pratico. Per la stessa ragione, esortare le persone a cercare alternative ha davvero una certa utilità (soprattutto nel temperare l'arroganza di un punto di vista unico), ma occorre anche sviluppare dei modi per generare alternative.

Nel sistema mnesico automassimizzante della mente esiste una tendenza secondo la quale i modelli stabiliti si sviluppano sempre di più. I modelli possono crescere per estensione oppure due modelli separati possono unirsi per formarne uno unico più ampio. Questa tendenza dei modelli ad ampliarsi si vede chiaramente nel caso del linguaggio. Parole che descrivono tratti individuali vengono messe insieme per descrivere una nuova situazione che presto acquisisce la propria etichetta linguistica. Quando questo fenomeno accade, si forma un nuovo modello standard. Questo nuovo modello viene utilizzato autonomamente senza fare continuamente riferimento ai tratti originari che l'hanno formato.

Quanto più un modello è unificato tanto più difficile è ristrutturarlo. Di conseguenza, quando un singolo modello standard prevale a partire da un insieme di modelli più piccoli, diventa molto più difficile considerare la situazione in un modo nuovo. Se a un bambino viene donata una intera casa di bambola, ha poca scelta se non di usarla e ammirarla così com'è. Se invece gli viene donata una scatola di blocchetti da costruzioni, può metterli insieme in vari modi dando forma a una varietà di case.

Nella pagina precedente si osserva una forma geometrica che potrebbe essere descritta: «forma a L». Il problema vuole che la si divida in quattro parti esattamente simili per dimensione, forma e superficie. I tentativi iniziali di soluzione assumono di solito la forma della divisione che compare a sinistra. Queste partizioni sono evidentemente inadeguate poiché gli elementi non hanno la medesima dimensione anche se possono essere della stessa forma.

Una soluzione corretta si vede sulla destra e consiste di quattro piccoli elementi a forma di L. Un modo facile per ottenere questa risposta consiste nel dividere la forma originaria in tre quadrati e poi nel dividere ciascun quadrato in quattro elementi per un totale di dodici quadratini. Queste dodici parti devono poi essere raccolte in quattro gruppi di tre e, una volta compiuta questa operazione come nella figura, l'originale risulta diviso nei quattro elementi richiesti.

Uno dei problemi presentati in un precedente capitolo chiedeva di dividere un quadrato in quattro parti che fossero uguali per dimensione, forma e superficie. Alcune persone andarono oltre le ovvie partizioni abituali dividendo il quadrato in sedici quadratini e poi ricomponendoli in vari modi fino a formare una varietà di nuove procedure di divisione del quadrato in quattro parti.

In un certo senso il problema generale del linguaggio è di offrire unità separate che possano essere spostate qua e là e ricomposte in vari modi. Il pericolo è che questi diversi modi si stabilizzino presto in unità a loro volta fisse e non siano considerati temporanee disposizioni di altre unità.

Se si prende qualsiasi situazione e la si fraziona, la si può poi ristrutturare componendo le parti in un modo nuovo.

Divisioni vere e false

Potrebbe sembrare che qui si raccomandi l'analisi di una situazione nelle sue componenti. Non è così. Non si cerca di *trovare* le vere componenti di una situazione, si cerca di *creare* delle parti. Le linee naturali o vere di divisione di solito non sono molto utili dal momento che le parti tendono a ricostituirsi per dar forma al modello originario poiché è questo il modo in cui il modello si presentava all'inizio. Con le divisioni artificiali, invece, ci sono più occasioni di comporre delle unità in modi nuovi. Come accade sovente nel pensiero laterale, si va alla ricerca di una elaborazione stimolatrice dell'informazione che riesca a portare a un nuovo modo di considerare le cose. Non si cerca di scoprire il modo *corretto*. C'è bisogno di qualcosa con cui si possa andare avanti e a questo scopo qualsiasi genere di partizione andrà bene.

Nella progettazione di una macchina per la raccolta delle mele il problema si sarebbe potuto frazionare nelle parti seguenti:

raggiungere le mele
trovarle
coglierle
trasportarle a terra
non danneggiarle.

Nel ricomporre queste parti si sarebbe potuto mettere insieme raggiungere-trovare-cogliere per poi sostituire lo scotimento della pianta con queste tre funzioni. Sarebbe allora rimasto il problema del trasporto a terra in modo tale da non far subire danni alle mele. Dall'altra parte si sarebbe potuto combinare raggiungere-mele non danneggiate-trasporto a terra e produrre qualche piattaforma di canapa elevata che sarebbe stata sollevata verso le mele.

Qualcun altro avrebbe potuto ripartire il problema in un modo diverso:

contributo dell'albero alla raccolta delle mele

contributo delle mele

contributo della macchina.

Questo tipo particolare di partizione avrebbe potuto condurre all'idea di coltivare le piante in un modo speciale, tale da facilitare la raccolta delle mele.

Divisione completa e sovrapposizione

Poiché lo scopo del frazionamento è quello di spezzare la solida unità dei modelli fissi più che quello di fornire un'analisi descrittiva, non importa se le partizioni non esauriscono l'intera situazione. Basta avere qualcosa con cui operare. Basta avere una nuova elaborazione dell'informazione per dare impulso alla ristrutturazione del modello originario.

Per la stessa ragione non importa se qualche parte si sovrappone. È molto meglio produrre qualche genere di frazionamento per quanto impuro piuttosto che sedere a chiedersi come se ne possa realizzare uno puro.

Se il problema in esame fosse stato il «trasporto per mezzo di autobus», si sarebbe potuta eseguire la seguente ripartizione:

Scelta della strada.

Frequenza.

Convenienza.

Numero di utenti del servizio.

Numero di utenti del servizio in momenti diversi.

Dimensione dell'autobus.

Economia di gestione e costo.

Trasporto alternativo.

Numero di persone che dovrebbero utilizzare l'autobus e numero di persone alle quali piacerebbe usarlo se fosse in servizio.

Chiaramente queste parti non sono tutte indipendenti

ma si sovrappongono in notevole misura, per esempio la convenienza è una questione legata alla strada, alla frequenza e forse alla dimensione dell'autobus. L'economia di gestione e il costo comprendono il numero di utenti del servizio, la dimensione dell'autobus e diverse altre ripartizioni.

Divisione in due unità

Quando è difficile dividere qualcosa in parti, può rivelarsi utile adottare la tecnica *artificiale* di divisione in due unità o componenti. Le due parti così prodotte vengono a loro volta ulteriormente divise in altre due parti e così via fino a un soddisfacente numero di elementi.

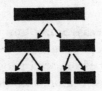

Questa tecnica è estremamente artificiale e può significare che diverse caratteristiche importanti siano del tutto trascurate. Il vantaggio sta nel fatto che è molto più facile trovare due parti che trovarne diverse. Non si tratta di frazionare qualcosa in due parti uguali perché non importerà affatto l'ineguaglianza delle parti. E le linee di divisione non devono neppure rivelare partizioni naturali. Le parti possono essere estremamente artificiali eppure utili.

Applicata al problema della raccolta delle mele la divisione in due unità potrebbe attuarsi come segue:

		delicata	danneggiare
	mela		danneggiato
		staccata	trovare
problema			densità
raccolta mele		rimozione	afferrare
	raccolta		strappare
		trasporto	al suolo
			contenitore

La tecnica della divisione in due unità è non tanto una tecnica quanto un metodo per incoraggiare il frazionamento di una situazione.

Pratica

1. Frazionamento

Agli studenti viene assegnato un argomento e si chiede loro di frazionarlo.

L'argomento può essere una progettazione, un problema o qualsiasi tema specifico. Fra gli argomenti si potrebbero suggerire i seguenti:

Scarico di navi nel porto.

Pasti al ristorante.

Pesca e commercializzazione del prodotto ittico.

Organizzazione di un campionato di calcio.

Costruzione di un ponte.

Giornali quotidiani.

Si raccolgono gli elenchi separati delle ripartizioni eseguite dagli studenti. Se c'è tempo i risultati vengono analizzati nei termini suggeriti dalle parti più comuni. Se non c'è tempo, si leggono ad alta voce gli elenchi individuali e si commentano le parti particolarmente ingegnose. Lo scopo principale è quello di mostrare la varietà o l'uniformità dell'approccio.

2. Ricomposizione

Dagli elenchi dei frazionamenti ottenuti sopra (o nel corso di una lezione apposita) si estraggono piccoli gruppi di due o tre partizioni. Queste vengono assegnate agli studenti ai quali viene chiesto di ricomporle nel tentativo di generare un nuovo modo di considerare la situazione.

3. Individuazione delle parti

Qui l'argomento viene presentato agli studenti in gruppo. Viene loro richiesto di individuare le partizioni una dopo l'altra. Uno studente propone una parte e poi un altro lo segue con un'ulteriore frazione. Il procedimento continua finché si presentano delle indicazioni. Non ha importanza se c'è un notevole grado di sovrapposizione fra le parti proposte. Se sembra esservi un chiaro duplicato, esso viene fatto rilevare alla persona che l'ha proposto e gli si chiede di spiegare perché pensa che esista una differenza. Non importa se la differenza sia o meno veramente fondata purché l'interpellato ritenga che ce ne sia una.

4. Retroazione

Si tratta di un gioco come tutti gli altri. Un elenco di partizioni viene preso da una lezione precedente effettuata con un altro gruppo e agli studenti si chiede di cercare di indovinare quale fosse l'argomento. I riferimenti evidenti all'argomento vengono cancellati e sostituiti con la parola «spazio».

Un altro modo con cui è possibile procedere è quello di consegnare un elenco di cinque argomenti uno soltanto dei quali sia stato frazionato da ciascun studente. Alla fine si leggono ad alta voce alcuni elenchi di parti e gli studenti devono decidere a quale dei cinque argomenti originari si riferisce un elenco.

5. Divisione in due unità

In questo caso si assegna l'argomento agli studenti e viene chiesto loro di attuare una divisione in due unità. I risultati finali vengono poi confrontati. È possibile eseguire un rapido confronto fra le prime due unità scelte dai diversi studenti. Questo può servire per mostrare la varietà di approcci usata.

6. Divisione sequenziale in due unità

Si assegna un argomento e poi a uno studente si chiede di dividerlo in due unità. Si domanda quindi a un altro studente di dividere una delle unità in altre due parti e così via. Diversamente dalle altre sessioni di pratica, in questa non importa tanto l'offerta spontanea di una soluzione quanto la richiesta di fornirne una. L'intento è quello di mostrare come sia sempre possibile dividere qualcosa in due unità individuandone una e considerando il resto come la seconda.

Sommario

Il frazionamento può sembrare niente più che un'analisi lineare. La sua importanza è tuttavia del tutto diversa. Lo scopo non è quello di fornire una classificazione esaustiva o vera della situazione nelle sue componenti (come nell'analisi), bensì di offrire del materiale utilizzabile per dare impulso alla ristrutturazione della situazione originaria. Il fine è di ristrutturare non di spiegare. Le parti non devono essere complete o naturali perché l'accento è posto non sulla loro legittimità ma su ciò cui possono dare luogo. Lo scopo del frazionamento è quello di sfuggire all'unità inibitoria di un modello fisso verso la situazione più produttiva costituita dalle diverse parti.

14

IL METODO DELL'INVERSIONE

Il frazionamento è un metodo utile per generare modi alternativi di considerare una situazione, ma presenta certi limiti. Le stesse ripartizioni scelte sono modelli fissi, di solito standard. La scelta delle parti è comunemente una scelta verticale che segue le linee più naturali di divisione. Ne risulta che le parti ricomposte danno una visione standard della situazione. Benché il frazionamento renda più facile l'esame di una situazione in modi diversi, la scelta effettiva delle parti limita la varietà di alternative generabili. Nella pagina seguente si vede una semplice forma quadrata. Se si dovesse segmentarla si potrebbero scegliere le parti che si vedono in ciascuna delle altre figure. La scelta delle parti, tuttavia, determinerà la forma che si potrà attuare ricomponendole in modo diverso.

Il metodo dell'inversione ha una natura più laterale di quello del frazionamento e tende a produrre ristrutturazioni più inconsuete.

Se si assegna a qualcuno un problema creativo indeterminato, ci sarà un'enorme difficoltà nell'iniziare. È proprio difficile mettersi in marcia. La persona alla quale viene presentato il problema sembra dire: «Dove vado, che cosa faccio?». Questa situazione è apparsa evidente quando ho chiesto a un gruppo di persone di riprogettare qualche tratto del corpo umano. Un approccio scontato era quello di prendere qualche tratto reale quale punto di partenza e quindi di modificarlo in qualche modo semplice. Così si propose di aumentare il numero degli arti o di allungarli o di renderli più flessibili.

A meno che non ci si metta pigramente a sedere in atte-

137

sa dell'ispirazione, il modo più pratico per partire è di operare con ciò che si possiede. In una gara di nuoto, quando gli atleti arrivano alla virata al termine della vasca si danno una forte spinta con i piedi per aumentare la propria velocità. Con il metodo dell'inversione si dà una forte spinta a ciò che esiste ed è fissato allo scopo di allontanarsi nella direzione opposta.

Laddove sia indicata una direzione, la direzione opposta sarà ugualmente ben definita. Se si va verso New York ci si allontana da Londra (o da qualsiasi altra località da cui si parte). In presenza di un'azione, l'azione contraria è definita. Se si sta riempiendo una vasca da bagno d'acqua, l'azione opposta è quella di svuotarla. Se qualcosa accade fuori tempo, si fa semplicemente scorrere all'indietro la scala cronologica allo scopo di trovare il processo contrario.

Laddove esista una relazione unidirezionale fra due parti, è possibile rovesciare la situazione mutando la direzione di tale relazione. Se si presume che una persona obbedisca al governo, il contrario implicherebbe che il governo obbedisca a una persona (o al popolo).

Nel metodo dell'inversione si assumono le cose quali si presentano e poi si invertono dall'interno all'esterno, dall'alto in basso, da dietro a davanti. E si osserva ciò che succede. Si tratta di una rielaborazione stimolante dell'informazione. Si fa scorrere l'acqua verso l'alto anziché verso il basso. Anziché guidare l'auto, è l'auto che ci guida.

I diversi tipi d'inversione

Di solito esistono parecchi modi diversi in cui è possibile «invertire» una situazione data. Non esiste nessun modo che sia corretto, né si dovrebbe cercarne qualcuno di giusto. Qualsiasi tipo di inversione andrà bene.

Per esempio, se la situazione riguarda «un poliziotto che regola il traffico», si potrebbero attuare le seguenti inversioni:

Il traffico regola (controlla) il poliziotto.

Il poliziotto ingorga il traffico.

Quale di queste due inversioni è la migliore? Entrambe funzioneranno. È impossibile dire quale elaborazione sarà più utile finché non abbia dimostrato la sua fecondità. Non è importante scegliere l'inversione più ragionevole o quella più irragionevole. Si va alla ricerca di alternative, di mutamenti, di elaborazioni stimolatrici dell'informazione.

Nel pensiero laterale non si cerca la risposta giusta ma una differente elaborazione dell'informazione che provocherà un modo diverso di considerare la situazione.

Lo scopo della procedura d'inversione

Molto spesso la procedura d'inversione conduce a un modo di considerare la situazione che è ovviamente errato o ridicolo. Quando è il momento di attuarla?

• Si utilizza la procedura d'inversione allo scopo di liberarsi dalla necessità assoluta di considerare la situazione in un modo standard. Non importa se il nuovo modo abbia senso o meno, perché quando ce ne saremo liberati, diventerà poi più facile muoversi anche in altre direzioni.

• Infrangendo il modo originario di considerare la situazione, si libera l'informazione che può ricomporsi in un modo nuovo.

• Si attua l'inversione per superare il terrore di essere in errore, di compiere un passo non pienamente giustificato.

• Lo scopo principale è quello di stimolo. Attuando l'inversione si va verso una nuova posizione. Poi si vede che cosa accade.

• Di quando in quando l'approccio inverso è utile in sé.

Riguardo alla situazione del poliziotto, la prima inversione supponeva che il traffico controllasse il poliziotto. Ciò porterebbe a esaminare l'esigenza di un maggior numero di poliziotti poiché il traffico è diventato più complesso, da cui il bisogno di ridistribuire i poliziotti secondo le condizioni del traffico. Si sarebbe indotti a considerare il fatto che in realtà il traffico controlla davvero il poliziotto poiché il suo comportamento dipende dalla circolazione sviluppatasi nelle diverse strade. A quale velocità egli reagisce a questa situazione? Quale percezione ne ha? In che misura riesce a esserne ben informato? Poiché il traffico controlla il poliziotto che controlla il traffico, perché non organizzare le cose in modo che il traffico controlli se stesso?

La seconda inversione nella situazione del poliziotto supponeva che egli ingorgasse il traffico. Ciò indurrebbe a considerare quale sia l'elemento più efficace, il flusso naturale, i semafori o un poliziotto. Se un poliziotto fosse più efficiente dei semafori, quale sarebbe il fattore in più? Se ne potrebbero dotare i semafori? Per il traffico sarebbe forse più semplice adattarsi a modelli fissi di regolazione più che alle imprevedibili reazioni dell'agente di polizia?

Un gregge di pecore procedeva lentamente lungo una strada di campagna che era costeggiata da alte scarpate. Un automobilista frettoloso seguiva il gregge e sollecitava il pastore a sospingere il suo gregge sul lato affinché la macchina potesse procedere oltre. Il pastore rifiutò perché non poteva essere sicuro di tenere le pecore alla larga dall'auto in una strada così stretta, però invertì la situazione. Disse all'auto di fermarsi e poi tranquillamente fece invertire la marcia al gregge e lo guidò dietro il veicolo in sosta.

Nella favola di Esopo l'acqua nella brocca era a un livello troppo basso perché l'uccello potesse berla. L'uccello stava pensando come tirar fuori l'acqua dalla brocca, poi ritenne invece più conveniente metterci qualcosa dentro. Così gettò dei sassi nella brocca finché il livello dell'acqua non si alzò abbastanza da consentirgli di bere.

La duchessa era molto grassa. Una sequela di medici tentò di farla dimagrire imponendole diete da fame, e ogni medico fu di volta in volta licenziato a causa della sgradevolezza della dieta. Alla fine arrivò un medico che si affaccendò intorno alla buona signora. Diversamente dagli altri le disse che non beveva abbastanza per sostenere il suo corpo massiccio. Le raccomandò di bere un bicchiere di latte zuccherato mezz'ora prima dei pasti (il che naturalmente ridusse notevolmente l'appetito della duchessa).

Un ricco signore voleva che la figlia sposasse il più ricco fra i suoi pretendenti. Ma costei era innamorata di un povero studente. Fu così che andò da suo padre e gli disse che acconsentiva a sposare il più ricco fra i suoi pretendenti, ma come si poteva stabilire chi lo fosse? Non sarebbe stato di nessuna utilità chiedere loro di mostrare la propria ricchezza offrendo un dono, poiché sarebbe stato facile prendere a prestito del denaro per quello scopo essendo il premio costituito dalla figlia. Ella propose invece al padre di fare un dono in denaro a ciascuno dei pretendenti, così si sarebbe stati in grado di dire quanto era ricco ciascuno di loro grazie alla differenza che il dono in denaro avrebbe determinato nel loro abituale tenore di vita. Il padre apprezzò la saggezza della figlia e fece il dono a ogni pretendente, dopo di che la figlia fuggì con il suo vero spasimante così arricchito.

In ciascuno di questi esempi una semplice inversione si è dimostrata utile in sé. Più spesso le inversioni sono utili solamente per la direzione verso cui conducono. Si dovrebbe far propria l'abitudine di rovesciare le situazioni per poi vedere cosa accade. Se non succede nulla, non c'è nessuna perdita, ma mettendo in dubbio il modo convenzionale di considerare le cose ci si può senz'altro guadagnare.

Pratica

1. Inversione e diversi tipi d'inversione

Si presenta una quantità di situazioni agli studenti e ognuno deve cercare di rovesciarle nel maggior numero di modi possibile. Si raccolgono i risultati e poi si elencano i diversi tipi d'inversione. Si fanno dei commenti sui tipi più ovvi e anche su quelli più ingegnosi.

Si può fare la stessa cosa anche enunciando un argomento e poi chiedendone delle inversioni, elencandole su una lavagna come si presentano (e integrandole con suggerimenti particolari).

Fra gli argomenti potrebbero esserci:

L'insegnante che istruisce gli studenti.

Il netturbino.

Il lattaio che consegna il latte.

Andare in vacanza.

Lo sciopero dei lavoratori.

Il commesso del negozio che aiuta i clienti.

Commento

In alcuni casi l'inversione può apparire assolutamente ridicola. Non importa. È utile fare esperienza tanto del ridicolo quanto dell'inversione. Negli esempi sopra esposti (e l'insegnante può produrne diversi altri) non si tratta tanto d'invertire l'enunciato dato quanto di rovesciare qualche aspetto dell'argomento stesso. Per esempio, il tema «andare in vacanza» si può invertire in «le vacanze vanno da una persona». D'altra parte si potrebbe considerare una vacanza come un «cambiamento ambientale» e rovesciarlo in una vacanza quale «completa uniformità degli ambienti».

2. A che cosa porta l'inversione

Si prendono la situazione e la sua inversione e si guarda a che cosa conduce l'inversione. È preferibile farlo in un momento collettivo di classe. La situazione e il suo contrario vengono proposti alla classe e si sollecitano suggerimenti volontari per quanto riguarda le linee di pensiero che l'inversione potrebbe aprire. Per esempio, l'idea secondo cui «le vacanze potrebbero comportare una completa uniformità degli ambienti» potrebbe condurre all'idea della libertà dalla decisione, dallo stress, dal dovere di adattarsi.

All'inizio non sempre è facile sviluppare ulteriori idee dalla situazione invertita. Ecco perché è preferibile farlo in una situazione di classe aperta piuttosto che richiedere a ciascuno studente di elaborare qualcosa da solo. Quando l'idea viene colta e ognuno sembra desideroso di offrire suggerimenti, allora a ogni singolo studente si può chiedere d'invertire la situazione e di sviluppare le linee di pensiero che sorgono dall'inversione. Nel considerare e commentare questi elaborati alla fine, è necessario riuscire a tracciare la linea di sviluppo di un'idea più che accontentarsi del prodotto finale. Per questa ragione si dovrebbero incoraggiare gli studenti ad annotare il corso dei loro pensieri.

15

BRAINSTORMING

Fino a ora si è discusso dei princìpi generali del pensiero laterale e delle tecniche speciali per praticare questi princìpi e applicarli. Il *brainstorming* è uno *scenario* convenzionale per l'uso del pensiero laterale. In sé non si tratta di una tecnica particolare ma di un contesto speciale che incoraggia l'applicazione dei princìpi e delle tecniche del pensiero laterale determinando una sospensione nella rigidità del pensiero verticale.

I precedenti paragrafi hanno descritto delle tecniche utilizzabili individualmente. Le lezioni pratiche hanno richiesto l'interazione insegnante-studente. Il *brainstorming* è un'attività di gruppo che non esige alcun intervento dell'insegnante.

I tratti principali di una riunione di *brainstorming* sono:
• Stimolazione incrociata.
• Sospensione del giudizio.
• Convenzionalità dello scenario.

Stimolazione incrociata

La tecnica del frazionamento e quella dell'inversione sono metodi per mettere in moto le idee. Occorre andare verso una nuova elaborazione dell'informazione e poi da lì si prosegue. La nuova elaborazione dell'informazione è una provocazione che produce qualche effetto. In una riunione di *brainstorming* la provocazione viene fornita dalle idee altrui. Poiché tali idee provengono dall'esterno della mente dell'individuo, possono servirgli a stimolare le proprie. Anche se la si fraintende, l'idea può ancora costituire uno stimolo utile. Spesso accade che un'idea possa sembrare molto ovvia e futile a una persona, eppure essa può combinarsi con altre idee nella mente di qualcun altro producendo qualcosa di assai originale. In una riunione di *brainstorming* si dà uno stimolo agli altri e lo si riceve dagli altri. A causa della varietà di persone che vi prendono parte, ciascuna delle quali tende a seguire il corso del proprio pensiero, c'è meno pericolo di restare abbarbicati a un particolare modo di considerare la situazione.

Nel corso della riunione di *brainstorming* c'è chi verbalizza le idee e talvolta vengono anche registrate. È possibile poi passare in rassegna queste idee in un momento successivo allo scopo di procurare stimoli nuovi. Anche se le idee in sé non sono nuove, il contesto è cambiato e quindi le vecchie idee possono avere un nuovo effetto stimolatore.

Benché in una riunione di *brainstorming* le idee siano collegate al problema in discussione, esse hanno la possibilità di agire quali stimoli casuali perché possono essere di gran lunga rimosse dal modello di idea della persona che le ascolta. Il valore di una stimolazione casuale viene discusso in un paragrafo successivo.

Sospensione del giudizio

Il valore della sospensione del giudizio è stato discusso in un precedente capitolo. La riunione di *brainstorming* procura un'occasione convenzionale in cui le persone possono dare consigli che altrimenti non avrebbero mai osato dare per timore di essere derise. In una riunione di *brainstorming* qualsiasi cosa va bene. Non c'è idea che sia troppo ridicola da non poter essere avanzata. L'importante è che non si compiano tentativi di valutare le idee.

Fra i tentativi di valutazione si potrebbero includere osservazioni quali:

«Quello non funzionerebbe mai perché...»

«Ma quali sono le tue intenzioni al riguardo...»

«È noto che...»

«Quello è già stato tentato e si è verificato che non va bene».

«Come faresti in modo di...»

«Non hai considerato una questione di vitale importanza».

«È un'idea sciocca, impraticabile».

«Sarebbe troppo costoso».

«Nessuno l'accetterebbe».

Queste sono osservazioni molto naturali ma se fossero consentite la riunione di *brainstorming* sarebbe inutile. È fatto divieto di valutare non solo le idee altrui ma anche le proprie. È compito di chi presiede bloccare ogni tentativo di valutazione. Il presidente deve fare assoluta chiarezza su questo punto all'inizio della riunione.

Basta dunque ch'egli dica: «Questa è una valutazione» per porvi fine.

L'altro tipo di giudizio da cui ci si deve guardare è la valutazione circa la novità di un'idea. L'obiettivo di una riunione di *brainstorming* è quello di produrre idee *efficaci*. Di solito ciò significa idee nuove, altrimenti non si terrebbe la riunione. Ma lo scopo della riunione non è in realtà quello di trovare *nuove idee*. Nel corso di una riunione un'idea a lungo dimenticata può essere resuscitata e considerata molto efficace.

La valutazione della novità potrebbe includere osservazioni quali:

«Questo non è nuovo».

«Mi ricordo d'aver letto qualcosa in proposito un po' di tempo fa».

«Lo si è già tentato in America».

«Questo era il metodo che veniva proposto anni or sono».

«L'ho pensato anch'io ma l'ho scartato».

«Cosa c'è di originale in quest'idea?».

Per contrastare tali tendenze il presidente deve dire: «Non ha importanza quanto sia nuova un'idea, lasciate che si manifesti e preoccupatevi in seguito della sua novità».

Convenzionalità dello scenario

Il pensiero laterale è un abito mentale, un tipo di pensiero. Non è una tecnica speciale, tantomeno uno scenario convenzionale. Tuttavia il valore di una riunione di *brainstorming* sta nella convenzionalità dello scenario. Quanto più è convenzionale lo scenario, tanto meglio sarà. Quanto più convenzionale è lo scenario, tanto più vi sarà in esso la possibile mancanza di convenzionalità nelle idee. La maggioranza delle persone è così immersa nelle consuetudini del pensiero verticale da sentirsi profondamente inibita riguardo al pensiero laterale. Queste persone non amano essere in errore o cadere nel ridicolo pur accettando il valore produttivo dell'errore. Quanto più una riunione di *brainstorming* è *speciale* tanto maggiore è la possibilità che i partecipanti ne lascino fuori le proprie inibizioni. È molto più facile accettare che «qualsiasi cosa funzioni» come un modo di pensare in una riunione di *brainstorming* piuttosto che come modo di pensare in generale.

All'interno di questo scenario convenzionale si possono usare tutte le altre tecniche di ristrutturazione dei modelli descritte finora e anche quelle tecniche che devono ancora essere descritte. Si può cercare di dividere le cose in parti e di ricomporle in modi nuovi. Si può cercare l'inversione. Non occorre scusarsi per questo e neppure dare spiegazioni agli altri. La convenzionalità della riunione dà licenza al partecipante di fare quel che gli pare con i propri pensieri senza riferimento alla critica altrui.

Impostazione della riunione di brainstorming

• *Dimensione*

Non esiste una dimensione ideale. Dodici persone sono un numero adatto ma una riunione di *brainstorming* può funzionare benissimo sia con quindici sia con sei persone. Meno di sei persone di solito finiscono per discutere e con più di quindici persone ogni partecipante non ha sufficienti occasioni per dare il suo contributo. Se c'è un gruppo più grande, lo si può dividere in gruppi più piccoli e alla fine se ne possono confrontare le osservazioni.

• *Presidente*

È compito del presidente guidare la riunione senza controllarla in alcun modo o dirigerla. Egli ha i seguenti doveri:

1. Blocca le persone che cercano di valutare o criticare le idee degli altri.

2. Controlla che le persone non parlino tutte insieme. (Il presidente deve anche individuare chi, pur tentando di dire qualcosa, viene sempre soverchiato da una personalità più aggressiva.) Il presidente *non* deve chiedere ai singoli di parlare. Ognuno parla quando vuole. E neppure deve fare il giro dei partecipanti chiedendo loro a turno di esporre le proprie idee. Se tuttavia ci fosse un silenzio prolungato, può chiedere a una singola persona che cosa pensi sull'argomento.

3. Il presidente controlla che colui che verbalizza abbia trascritto un'idea. Può ritenere necessario ripetere un'idea o anche riassumere un'idea proposta da un partecipante (tale compendio deve essere approvato dalla persona che ha esposto l'idea). Si può chiedere al presidente di decidere se un'idea compaia già nell'elenco e perciò non ci sia bisogno di elencarla ancora. Se esiste qualche dubbio o chi

ha prodotto l'idea sostiene che sia diversa, allora deve essere inclusa nell'elenco.

4. Il presidente colma i tempi morti proponendo egli stesso dei suggerimenti. Può anche richiedere al verbalizzante di leggere l'elenco delle idee già registrate.

5. Il presidente può suggerire diversi modi di affrontare il problema e l'uso di varie tecniche del pensiero laterale per cercare di generare differenti modi di considerare un problema (per esempio, il presidente può dire: «proviamo a invertire questa cosa»). Chiunque altro può ovviamente fare le stesse proposte.

6. Il presidente definisce il problema centrale e continua a richiamarvi i partecipanti. Questo è un compito difficile poiché voli di fantasia in apparenza irrilevanti possono essere molto produttivi, e certo non si vuole limitare le persone all'opinione più evidente relativa al problema. Quale regola generale si può dire che qualsiasi singolo volo di fantasia viene accettato ma non è consentita una divergenza prolungata tale da far prendere in considerazione un problema completamente diverso.

7. Il presidente conclude la riunione alla fine di un tempo stabilito o quando la riunione stessa sembra esaurirsi, per quanto sia ancora presto. Il presidente non deve correre il rischio di annoiare le persone prolungando la riunione indefinitamente anche se questa sembra procedere bene.

8. Il presidente organizza la riunione di valutazione e l'elencazione delle idee.

• *Il verbalizzante*

La funzione di chi redige il verbale è quella di trasformare in un elenco permanente le innumerevoli e disparate idee che vengono avanzate nel corso della riunione. Il compito non è dei più facili poiché la nebulosa delle idee proposte deve essere ridotta alla forma di note utilizzabili. Oltre a ciò, le note devono non solo avere senso immediatamente dopo la riunione ma anche dopo che sia trascorso un po' di tempo, quando il contesto non è più così chiaro. Chi verbalizza deve scrivere rapidamente perché a volte le idee si susseguono a grande velocità. Può chiedere al presidente di fare una pausa per poter recuperare. Può anche chiedere se un particolare compendio dell'idea sia accettabile (per esempio, annoteremo la tale idea nei seguenti termini: «Un sistema semaforico più flessibile»?).

Il verbalizzante deve anche accertare se un'idea è abbastanza nuova da essere aggiunta alla lista o se è già rappresentata da un'idea simile. In caso di dubbio, dovrebbe interpellare il presidente. È preferibile annotare dei duplicati di idea piuttosto che tralasciarne di diverse, perché i doppioni si possono escludere successivamente mentre le idee omesse sono perse per sempre.

Le note devono assumere una forma che sia immediatamente leggibile, perché il presidente può chiedere che la lista venga letta ad alta voce in ogni fase. Non ha importanza eseguire un'accurata trascrizione stenografica qualche tempo dopo la fine della riunione.

È utile registrare su nastro una riunione poiché il riascolto può produrre nuove idee con la ripetizione dell'idea primitiva in un nuovo contesto. Nondimeno, quand'anche la riunione venisse registrata, sarebbe ancora essenziale disporre di una persona che verbalizza. Qualche volta si deve fare un elenco sommario anche di idee registrate su nastro, e si presenta inoltre la necessità di leggere ad alta voce l'elenco durante la riunione.

• *Durata*

Per una riunione trenta minuti sono più che sufficienti. Venti minuti sarebbero sufficienti in molti casi e quarantacinque sono un limite estremo. È preferibile fermarsi quando i partecipanti sono ancora pieni di idee anziché procedere fino a quando anche l'ultima idea è stata costretta a manifestarsi. Si deve resistere alla tentazione di proseguire se la riunione sta procedendo bene.

• *Riscaldamento*

Se i membri del gruppo non hanno dimestichezza con la tecnica (e forse anche quando la possiedono) una riunione di riscaldamento di dieci minuti è utile. In tale riunione ci si può occupare di qualche semplicissimo problema (la forma del rubinetto del bagno, i biglietti dell'autobus, gli squilli del telefono). Lo scopo di questa riunione di riscaldamento è quello di mostrare il tipo di idee che si possono proporre e di mostrare che si esclude ogni valutazione.

• *Azione supplementare*

Dopo la fine della riunione principale i partecipanti continueranno ad avere idee sull'argomento che si potranno raccogliere chiedendo a ciascun partecipante di inviare una lista di ulteriori contributi. Se si hanno strumenti di riproduzione, l'elenco delle idee generate durante la riunione può essere inviato a ciascun partecipante con la richiesta di aggiungere in calce qualsiasi altra sua idea.

Valutazione

Come riferito sopra non esiste alcun tentativo di valutazione nel corso della riunione di *brainstorming*. Qualsiasi tendenza a valutare soffocherebbe la spontaneità e trasformerebbe la riunione in una seduta di analisi critica. La valutazione viene effettuata in seguito dallo stesso gruppo o persino da un altro gruppo. È importante che un qualche tipo di valutazione venga comunque compiuto anche se il problema non è un problema reale. È la riunione di valutazione a trasformare in attività feconda ciò che altrimenti sarebbe un esercizio frivolo. Nella riunione di valutazione l'elenco delle idee viene passato al setaccio per trarne il materiale utile. I punti principali nella valutazione sono i seguenti:

1. Individuazione delle idee che hanno un'utilità diretta.

2. Estrazione dalle idee che sono errate o ridicole del nocciolo funzionale generalizzabile in modo proficuo (per esempio, in una riunione di *brainstorming* in cui si esaminava il problema del trasporto ferroviario, fra le idee avanzate ci fu quella secondo cui i treni dovevano essere dotati di binari sui tetti in modo tale che, quando due convogli si incontravano, uno potesse passare sopra l'altro. L'idea funzionale in questo caso è di una più compiuta utilizzazione dello stesso binario o di un miglior uso dei tetti dei vagoni). L'idea di utilizzare una calamita per staccare le mele dalle piante verrebbe considerata alla stregua di un mezzo per portare la totalità delle mele a terra anziché afferrarle a una a una, o come un trattamento anticipato delle mele allo scopo di renderne più facile la raccolta.

3. Elenco delle idee funzionali, di nuovi aspetti del problema, di modi di considerare il problema, di fattori aggiuntivi da prendere in considerazione. Queste idee non sono effettive soluzioni al problema bensì semplici approcci.

4. Individuazione di quelle idee che si possono mettere alla prova con relativa facilità anche se a tutta prima forse sembrano errate.

5. Individuazione di quelle idee che consigliano una maggiore raccolta di informazioni in certi campi.

6. Individuazione di quelle idee che in realtà sono già state verificate.

Al termine della riunione di valutazione dovrebbero esserci tre liste:
- Idee di immediata utilità.
- Aree per ulteriori indagini.
- Nuovi approcci al problema.

La riunione di valutazione non opera solamente una selezione meccanica, perché si richiede qualche sforzo creativo per trarre giovamento dalle idee prima che vengano scartate o per scoprire un'idea che sembra destinata a essere abbandonata ma che in realtà può essere sviluppata in qualcosa di significativo.

Formulazione del problema

Mentre qualsiasi problema può essere l'argomento di una riunione di *brainstorming,* il modo in cui il problema viene formulato può fare un'enorme differenza riguardo al successo con cui verrà affrontato.

Una troppo generale enunciazione del problema può dar luogo a una varietà di idee, ma così separate che non riescono a interagire per determinare quella reazione a catena di impulsi che sta alla base del *brainstorming.* L'enunciazione di un problema quale «Miglioramento del controllo del traffico» sarebbe troppo vasta.

Un'enunciazione troppo ristretta del problema limita le idee al punto che la riunione può concludersi con la produzione di idee relative non al problema stesso bensì a qualche modo particolare di affrontarlo. L'enunciazione di un problema quale «Miglioramento dei semafori» non condurrebbe alla formulazione di idee sul controllo del traffico con mezzi diversi dai semafori. E non condurrebbe nemmeno all'enunciazione di idee sul più efficace controllo del traffico mediante semafori perché l'attenzione si concentrerebbe sulla facilità della produzione, della manutenzione e sull'affidabilità dei semafori, considerazioni assolutamente distanti dalla loro rilevanza funzionale.

È dovere del presidente formulare il problema all'inizio della riunione e ripeterlo frequentemente nel corso della riunione stessa. Se si dovesse dimostrare che il problema è stato male formulato, allora il presidente – o chiunque altro nel gruppo – può suggerire una migliore formulazione. Una formulazione appropriata del problema citato sopra sarebbe: «Metodi di miglioramento del traffico dato l'attuale sistema viario».

Esempi

Trascrizione n. 1

Quanto segue è la trascrizione di parte di una riunione di *brainstorming* che prendeva in considerazione la riprogettazione di un cucchiaino da tè.

...Un cucchiaio di gomma.

...Ritengo che la funzione secondaria di un cucchiaino, che è quella di trasferire lo zucchero dalla zuccheriera alla tazza, sia quasi del tutto scomparsa e che un cucchiaino da tè a forma di frullino per le uova sarebbe molto più efficace.

...(Annotato frullino per le uova).

...E farlo girare elettricamente.

...Inserendo un carillon per la funzione estetica.

...Avere qualcosa di simile a una cannuccia da tuffare nello zucchero tenendo il dito nella parte superiore e trasferire lo zucchero in questo modo. Allora lo zucchero verrebbe dotato di un dispensatore così che ci si priverebbe completamente del piacere di mescolare.

...Ritornando al frullino per le uova penso che si dovrebbe avere una sorta di elemento a vite più che un bastoncino miscelatore elettrico. L'asse sarebbe cavo...

...(Posso interrompere qui? State cominciando a dirci come lo fareste e non è questa la funzione della presente riunione).

...No, sto solo descrivendo a che cosa somiglia.

...(Lo potresti descrivere più semplicemente?)

...Un cucchiaino rotante?

...No, una vite. Sapete, quel tipo di vite a elica.

...La spingi su e giù?

...No, è elettrica, si preme semplicemente il bottone in cima.

...A me sembra che sia troppo complicato. Ora hai le comuni mollette da zucchero e ciascuno avrebbe le proprie e prenderebbe un paio di zollette. Le mollette hanno due estremi e potresti rimescolare facilmente proprio come con un cucchiaino.

...Questo non ti limita alle sole zollette di zucchero?

...Sì, piccole zollette. Ma puoi avere la quantità di zucchero che vuoi.

...(Che cosa annoteremo qui?)

...Mollette.

...Che ne dite di qualcosa di simile a quei posacenere che si aprono a pressione ruotando. Potremmo avere qualcosa da porre su una tazza e se lo premeste si aprirebbe rilasciando un po' di zucchero e al tempo stesso ruoterebbe per mescolare lo zucchero.

...Se è così divertente mescolare lo zucchero, forse dovremmo avere una qualche specie di zucchero insapore che le persone non amanti dello zucchero potrebbero usare allo scopo di godere dell'atto di mescolare.

...Un cucchiaino monouso fatto di zucchero.

...Un dispositivo che contiene zucchero e che viene mosso su e giù nella tazza. Ma se non vuoi zucchero tieni chiuso un passaggio.

...Vorrei riprendere l'idea dell'elettricità ma non usando una batteria o qualcosa di simile ma utilizzando l'elettricità statica presente nel corpo.

...Quest'idea di una vite. Si potrebbe realizzarla in base al principio dell'autogiro. Se la vite andasse su e giù il fluido la farebbe ruotare.

...Come una banderuola.

...Una tavola vibrante che agiterebbe qualsiasi cosa posata su di essa, zucchero o altro che fosse.

...Che ne dite di un bastoncino impregnato di zucchero?

Trascrizione n. 2

Questa riunione cercava di scoprire come si potesse migliorare la funzione lava/tergicristallo del parabrezza. Qualcosa per evitare la riduzione della visibilità per l'accumulo di fango e/o acqua.

...Un tergicristalli convenzionale con acqua o qualche altro agente lavante che si rende disponibile attraverso i bracci del tergicristallo stesso anziché essere spruzzato sul parabrezza da un altro punto.

...Un disco centrifugo rotante...

...Come su una nave?...

...Sì.

...Che ne dite di abolire il parabrezza e disporre soltanto di un flusso d'aria molto potente attraverso il quale non potrebbero penetrare né polvere né acqua?

...Un tergicristallo che si muovesse diritto attraverso il parabrezza da un lato all'altro o dall'alto in basso, a una velocità controllabile dal guidatore.

...Disporre di un liquido che rende trasparente la polvere in modo da non doverla togliere.

...Un parabrezza che funziona come una saracinesca e si pulisce quando si avvolge.

...Un parabrezza riscaldato elettricamente che fa evaporare l'acqua.

...Un controllo radar dell'auto stessa.

...Un parabrezza da alta velocità che emetta qualche liquido quando sale e si deterga quando scende.

...Ultrasuoni.

...Rendere obbligatori i paraspruzzi su tutti i veicoli.

...Sviluppare due tipi di magnete, uno che attragga l'acqua e l'altro che attragga lo sporco e sistemarli sul fondo.

...Incanalare l'acqua dal tetto della cabina di guida e rendere così meno necessari i tergicristalli.

...Disporre di un parabrezza liquido.

...Che ne dite di una superficie che sia in perpetuo movimento?

...Vibrazione.

...Disporre di un'auto circolare con un parabrezza circolare e un lavacristalli pure tutt'intorno.

...Tergicristallo del parabrezza dotato di ugelli.

...(Penso che l'abbiamo già annotato sotto forma di ugelli nel braccio del tergicristallo stesso.)

...Sperimentare spugne e spazzole rotanti e cose diverse dalla spazzola convenzionale.

...Un rivolo d'acqua che scorre sul parabrezza e ci si libera completamente dei tergicristalli.

...(Finora abbiamo provato a liberarci del tergicristallo. Supponete che non volessimo liberarci del tergicristallo bensì semplicemente migliorarlo. C'è qualche modo per poter fare le cose per mezzo di energia idraulica?)

...Un fortissimo getto d'acqua a pressione che scaccerebbe la polvere e fornirebbe anche una quantità di liquido per dilavarla.

...Sperimentare un parabrezza parziale in modo che non si guarda effettivamente attraverso il vetro ma attraverso una fessura.

...3, 6 o 8 o qualsiasi altro numero di tergicristalli in funzione in fondo o lungo la parte superiore e ai lati del parabrezza.

...Due parabrezza abbastanza convenzionali che vanno su e giù alternativamente e passano attraverso dei tergicristalli nel loro moto alterno.

...Un parabrezza rotante, parte del quale si collocherebbe anteriormente una volta lavato, così si avrebbe sempre un pezzo pulito.

...Un serie di serbatoi di detergente in modo da poter variare il liquido secondo le condizioni, per esempio utilizzando qualcosa di speciale per lavare l'olio.

...Un periscopio per poter vedere al di là della polvere.

...Usare il principio della veneziana.

...Un doppio vetro con acqua nell'intercapedine. Il pannello frontale avrebbe dei forellini attraverso i quali l'acqua stillerebbe costantemente.

...Qualche schermo che intercetterebbe gran parte della polvere prima che raggiunga il parabrezza vero e proprio.

...Cambiare la posizione di guida. Girarsi e guidare dalla parte posteriore.

...Andare in galleria.

...Circuito televisivo tale da consentire al guidatore di non guardare fuori.

...Un tergicristallo comune a velocità variabile che si adatti automaticamente alla velocità dell'auto o alla quantità di luce che filtra attraverso il parabrezza o qualcosa del genere.

...Disporre di un parabrezza multistrato in cui semplicemente togli lo strato esterno polveroso.

...Un parabrezza dalla superficie solubile in modo che l'acqua lo dissolva costantemente tenendolo così pulito.

...Un parabrezza di ghiaccio che si sciolga costantemente conservandosi così pulito.

...Potresti anche metterci sopra uno strato di sostanza solubile prima di uscire.

Commento

Le osservazioni fra parentesi sono state fatte dal presidente. Non si compie alcun tentativo di distinguere le osservazioni degli altri partecipanti. La natura dei suggerimenti varia dal francamente ridicolo al fondato e saggio. Si può anche constatare come da un'idea ne scaturisca un'altra. Minimi sono i tentativi di valutazione. Quasi tutte le osservazioni contribuiscono a una nuova idea.

Pratica

La classe è divisa in gruppi di composizione adatta per una riunione di *brainstorming*. Ciascun gruppo elegge il proprio presidente. Se si presenta qualche difficoltà a tale proposito, l'insegnante suggerisce un nome. Anche chi verbalizza la riunione viene eletto da ciascun gruppo. È utile che ciascun gruppo scelga un segretario ausiliario addetto al verbale che può dare il cambio al verbalizzante a metà riunione.

I princìpi generali di una riunione di *brainstorming* vengono spiegati mettendo in risalto i seguenti punti:

1. Nessuna critica o valutazione.

2. Dire quel che si vuole per quanto errato o ridicolo.

3. Non cercare di sviluppare idee per esteso o di fare discorsi, bastano poche parole.

4. Dare a chi verbalizza la possibilità di prendere nota.

5. Ascoltare il presidente.

Si assegna poi un problema di «riscaldamento» a ciascun gruppo e si tiene una riunione di dieci minuti. Al termine di questa riunione i gruppi procedono direttamente alla riunione principale per trenta minuti.

L'insegnante può partecipare a turno ai gruppi. È preferibile non essere troppo invadenti. Sul momento si fanno pochi commenti ma si prende mentalmente nota per le discussioni successive. L'unica cosa che legittima un intervento è l'affiorare di qualche tendenza a valutare o criticare.

Al termine delle riunioni i gruppi tornano insieme. A turno chi ha redatto i verbali di ciascun gruppo legge ad alta voce l'elenco delle idee. L'insegnante può allora commentare nel seguente modo:

1. Commenti sulla riunione effettiva con probabile accentuazione della tendenza a valutare o a una eccessiva timidezza.

2. Commenti sull'elenco delle idee. Si potrebbero porre in rilievo la similarità di alcune idee e l'originalità di altre.

3. Commenti sul carattere delle idee. Alcuni suggerimenti possono essere stati piuttosto ragionevoli, altri alquanto ridicoli. Se i suggerimenti tendono a essere troppo solenni, l'insegnante potrebbe rilevare che almeno alcune idee nel corso delle riunioni dovrebbero essere esorbitanti in misura tale da provocare il riso.

4. L'insegnante aggiunge poi alcune idee e suggerimenti propri riguardanti i problemi che sono stati discussi.

Nel passare in rassegna gli elenchi dei suggerimenti l'insegnante può individuare alcune idee più sensazionali e procedere mostrando quanto possano essere proficue. Lo fa ricavando il principio funzionale dell'idea e sviluppandolo ulteriormente.

L'impressione generale che dovrebbe essere incoraggiata è quella secondo cui la riunione di *brainstorming* è una situazione produttiva nella quale non si dovrebbe essere troppo autocoscienti. D'altro canto, alcuni studenti palesano l'inclinazione a farsi notare e a cercare di essere volutamente spiritosi sapendo che i loro suggerimenti verranno letti ad alta voce all'assemblea di classe. È necessario occuparsi di una siffatta situazione nel modo migliore possibile negando alle persone il diritto all'eccesso. A tale proposito si può chiedere allo studente di spiegare ulteriormente l'idea.

Fra i problemi che si consiglia di usare nelle riunioni di *brainstorming* si potrebbero includere i seguenti:

Il progetto di una moneta.

La mancanza di un numero sufficiente di campogiochi.

La necessità degli esami.

L'attività estrattiva sottomarina.

Produrre un sufficiente numero di programmi televisivi perché ognuno possa vedere quello che desidera.

Fertilizzare il deserto.

Riscaldare una casa.

In ciascun caso si richiede un modo di realizzazione, un modo migliore, un modo nuovo di soluzione pratica. Questi sono semplici suggerimenti e l'insegnante sarà senz'altro in grado di formulare ulteriori problemi.

• *Valutazione*

Le riunioni di valutazione non dovrebbero tenersi nello stesso giorno di quelle di *brainstorming*. È consigliabile far svolgere le riunioni di valutazione dinanzi all'intera classe e considerare ogni singola idea volta a volta per la sua utilità diretta o indiretta.

Diverse sono le categorie possibili in cui collocare ciascuna idea, fra cui le seguenti:

Utilità diretta.

Approccio interessante.

Da esaminare ulteriormente.

Da scartare.

Un'alternativa a questa valutazione generale consiste nello scrivere l'elenco delle idee alla lavagna, poche voci per volta, e nell'invitare ogni studente ad attribuire dei voti a tali voci. Alla conclusione si possono confrontare le diverse valutazioni osservando quanti «voti» ha ottenuto ciascuna voce.

In questo contesto la riunione di valutazione è una parte necessaria della riunione di *brainstorming* ma non una parte importante. Le valutazioni appartengono tendenzialmente alla sfera delle analisi critiche e del pensiero verticale. Si dovrebbe assegnare maggiore evidenza alla riunione di *brainstorming* stessa più che alla valutazione successiva.

In ogni tentativo di valutazione è importante non dare l'impressione che le idee sensazionali siano state proficue nella riunione di *brainstorming* ma non lo siano state altrettanto in qualsiasi altra circostanza. Una simile impressione limiterebbe i suggerimenti alle idee pratiche e formalmente assennate che per quanto proficue in se stesse non condurrebbero mai a nuove idee. Una delle funzioni più importanti della riunione di valutazione sta nel mostrare che persino i suggerimenti più eccessivi possono condurre a idee utili.

Sommario

La riunione di *brainstorming* ha valore come scenario convenzionale che favorisce l'uso del pensiero laterale e come attività di gruppo in cui ha luogo una stimolazione incrociata di idee. Diversamente non c'è nulla di speciale nelle riunioni di *brainstorming* che non si possa attuare altrove. Alcune persone equiparano il pensiero creativo al *brainstorming*. Ciò significa equiparare un processo basilare con uno scenario relativamente minore che incoraggia l'uso di quel processo. La parte più importante della riunione di *brainstorming* è forse la sua convenzionalità. Quando ci si sta familiarizzando con l'idea di pensiero laterale è utile disporre di qualche scenario speciale in cui praticarlo. Più tardi il bisogno di un simile scenario diminuisce.

16
ANALOGIE

Allo scopo di ristrutturare un modello, di considerare una situazione in modo diverso, di avere nuove idee, bisogna cominciare con l'avere qualche idea. I due problemi del pensiero laterale sono:

• Avviare, iniziare qualche movimento, inaugurare un corso del pensiero.
• Sfuggire al corso naturale, ovvio, stereotipato del pensiero.

Le varie tecniche finora descritte si sono tutte occupate della generazione di qualche movimento. Del tutto simile è la tecnica analogica.

In sé un'analogia è una semplice storia, una situazione. Diventa analogia solamente quando la si confronta con qualcos'altro. La semplice storia, la situazione, deve essere familiare al pari della sua linea di sviluppo. Deve essere qualcosa che accade o qualche processo attivo o qualche tipo speciale di relazione da osservare. Deve esserci qualche sviluppo nella situazione stessa o almeno nel modo in cui la si osserva. Bollire un uovo è un'operazione semplice, in cui però si presenta uno sviluppo. L'uovo viene messo in un recipiente apposito e riscaldato. Allo scopo di raggiungere un migliore contatto del calore con l'uovo si usa un liquido, il quale serve anche a impedire che la temperatura salga sopra un certo livello. Nel corso del processo l'uovo cambia natura. Questo mutamento è progressivo e proporzionale alla quantità di tempo in cui l'uovo resta in questa situazione particolare. Varie persone hanno gusti spiccatamente diversi relativamente alla durata del processo da loro preferita.

Riguardo a un'analogia l'importante è che essa ha una «vita» propria. Questa «vita» può essere espressa direttamente in base agli oggetti reali coinvolti o ai processi implicati. Si può parlare di mettere nell'acqua un uovo dentro una casseruola e di bollirlo per quattro minuti finché l'albume diventi solido ma il tuorlo resti alquanto liquido. Si può parlare del cambiamento di stato di un oggetto nel tempo quando quell'oggetto è esposto a certe situazioni. Le analogie veicolano relazioni e processi. Queste relazioni e processi sono incarnati negli oggetti reali come le uova bollite ma la relazione e i processi possono essere generalizzati ad altre situazioni.

L'analogia non deve essere complicata o lunga. Può bastare una semplice attività. Collezionare farfalle è un passatempo particolare ma i processi implicati si possono generalizzare a molte altre situazioni (per esempio, offerta e domanda; informazione e ricerca di procedure; bellezza e rarità; interferenza con la natura per usi particolari; classificazione).

Le analogie vengono utilizzate per procurare un movimento. Il problema in esame è collegato all'analogia e poi l'analogia si sviluppa lungo linee proprie. In ogni fase lo sviluppo viene riportato al problema originario e quindi il problema si accompagna con l'analogia. In matematica si traducono gli elementi in simboli e poi si lavora con questi simboli per mezzo di varie operazioni matematiche. Si dimentica tutto del significato reale dei simboli. Alla fine i simboli vengono ritradotti e si scopre che ne è stato della situazione originaria. L'operazione matematica è un canale che orienta lo sviluppo del problema originario.

Allo stesso modo è possibile usare le analogie. Si può tradurre il problema in una analogia per poi svilupparla. Alla conclusione si ritraduce e si osserva che cosa potrebbe esserne del problema originario. Probabilmente è preferibile sviluppare entrambi in parallelo. Quanto accade nell'analogia viene trasferito (un processo o una relazione) al problema reale.

Per esempio, si potrebbe usare l'analogia della palla di neve che rotola giù da un pendio per indagare sulla diffusione delle dicerie. Quando la palla di neve rotola dal pendio, più va distante più diventa grossa. (Quanto più una diceria si diffonde tanto più si rafforza.) Quando la palla di neve s'ingrossa, raccoglie una sempre maggiore quantità di neve fresca. (Quante più persone conoscono la diceria, tante più sono quelle che verranno a conoscerla.) Ma perché la palla di neve s'ingrossi deve esserci la neve. A questo punto non si è sicuri se la dimensione della palla di neve sia da confrontare con il numero di persone che conoscono la diceria o con la forza della stessa. La neve sul terreno corrisponde semplicemente alle persone che possono essere influenzate dalla diceria o alle persone predisposte a credere a questo tipo di diceria? Si è già costretti dall'analogia a considerare più a fondo il problema stesso. Una grossa palla di neve – forse una valanga – può essere molto distruttiva ma se si è preavvisati ci si può levar di mezzo. (Una diceria può parimenti essere distruttiva, ma è possibile levarsi di mezzo se si è preavvertiti; si dovrebbe cercare di fuggire, di bloccarla o di deviarla?)

Fare uso di un'analogia in questo modo è molto diverso dal discutere sulla base dell'analogia. In una discussione basata sull'analogia si formula l'ipotesi secondo cui, se nell'analogia accade qualcosa in un certo modo, allora deve accadere allo stesso modo nella situazione problematica. L'uso dell'analogia nel pensiero laterale è completamente differente. Come di consueto non si cerca di dimostrare alcunché. Le analogie vengono usate quale metodo per generare altre idee.

Scegliere un'analogia

Si potrebbe pensare che il metodo sia proficuo solamente se si è scelta un'analogia particolarmente adatta.
Non è così. L'analogia non deve corrispondere in tutto e
per tutto. A volte è preferibile quando non ha corrispon-
denze di sorta perché allora si attua uno sforzo per metterla in relazione con il problema e da questo sforzo possono
sorgere nuovi modi di considerare il problema stesso. L'a-
nalogia è un dispositivo di stimolo che viene usato per imporre un nuovo modo di considerare la situazione.

In generale, le analogie dovrebbero occuparsi di situazioni molto concrete e molto familiari. Se ne dovrebbero
presentare in gran numero. E quel che si presenta deve essere definito. L'analogia non dev'essere ricca di processi o
funzioni o relazioni perché queste possono trarre origine
da qualsiasi tipo di analogia grazie al modo in cui la si considera.

L'analogia non deve neppure essere una situazione reale di vita. Può essere una storia purché il suo sviluppo sia
definito.

Quale analogia per il problema del pensiero verticale si
potrebbe usare la storia di come, a quanto sembra, sia possibile catturare le scimmie sotterrando un vaso dalla bocca
stretta pieno di noccioline. Arriva una scimmia che mette
la zampa nel vaso e afferra una manciata di noccioline. Ma
la bocca del vaso ha una dimensione tale da permettere
l'accesso solamente a una mano vuota e non a un pugno
pieno di noccioline. La scimmia non è disposta a lasciar
perdere le noccioline e così viene catturata.

Con il pensiero verticale si coglie il metodo naturale di
considerare una situazione perché si è dimostrato utile in
passato. Quando lo si è colto, si rimane intrappolati perché
si è molto riluttanti a lasciar perdere. Che cosa dovrebbe
fare la scimmia? Dovrebbe rifiutare di esplorare il vaso?
Equivarrebbe al rifiuto di indagare nuove situazioni. Do-

vrebbe negare l'attrazione esercitata dalle noccioline? Sarebbe sciocco negare l'utilità di qualcosa per timore di riceverne un danno in qualche occasione. Sarebbe stato meglio per la scimmia non vedere il vaso? Difendersi dalla sorte è una forma poverissima di difesa. Presumibilmente la cosa migliore per la scimmia sarebbe stata di vedere le noccioline, fors'anche di afferrarle per poi rendersi conto che erano una trappola, lasciarle perdere e cercare un altro modo per ottenerle, magari dissotterrando il vaso e svuotandolo. Il maggior pericolo, nel pensiero verticale, non è quindi quello di venire intrappolati dall'ovvio bensì quello di non riuscire a rendersi conto che si può restare intrappolati dall'ovvio. Non si tratta tanto di evitare il pensiero verticale quanto di usarlo e allo stesso tempo essere consapevoli del fatto che potrebbe essere necessario sottrarsi a un modo particolare di considerare una situazione.

Pratica

1. Dimostrazione

Allo scopo di rendere chiaro ciò che si richiede durante le lezioni pratiche, è utile cominciare prendendo un problema particolare, scegliendo un'analogia, sviluppandola e mettendola in relazione con il problema nella sua globalità. Lo si può fare alla lavagna. Si accettano suggerimenti dagli studenti ma non se ne fa loro richiesta.

2. Collegare un'analogia al problema

Si assegna il problema alla classe. L'insegnante sviluppa un'analogia alla lavagna e agli studenti viene richiesto di avanzare per ogni punto un suggerimento su come ogni particolare sviluppo dell'analogia potrebbe essere riferito al problema dato.

3. Sforzo individuale

In questo caso l'analogia viene nuovamente sviluppata dall'insegnante ma nel frattempo i singoli studenti la mettono in relazione con il problema, annotando le proprie idee su un foglio. Alla fine si raccolgono questi risultati e si possono fare commenti del genere qui riportato:

A. La varietà di modi differenti in cui l'analogia è stata collegata al problema.

B. La coerenza o la mancanza di coerenza nello sviluppo del problema (ovvero: nell'analogia c'era un tratto riferito sempre allo stesso tratto del problema o mutava? Nella coerenza non c'è nessuna particolare virtù).

C. La ricchezza nello sviluppo di ogni particolare trasferito dall'analogia al problema o la povertà di sviluppo quando sono stati trasferiti solamente gli elementi principali.

4. Funzioni, processi, relazioni

Qui l'insegnante sviluppa un'analogia in termini concreti. Gli studenti (che lavorano da soli) devono ripetere l'analogia in termini generali di processo, funzione e relazione, anziché in termini concreti. Si tratta di un esercizio di *astrazione* di questi elementi dalle analogie.

Fra le possibili analogie per questo tipo di astrazione si potrebbero includere:

Fare un bagno.

Friggere patatine.

Inviare una lettera.

Cercare di sbrogliare un gomitolo di spago.

Imparare a nuotare.

5. Scegliere le analogie

Un elenco di problemi o situazioni viene assegnato agli studenti ai quali si chiede nella classe aperta di avanzare analogie adattabili a ciascuno dei problemi elencati. Si chiede poi a chi avanzi un suggerimento di elaborarlo brevemente mostrando come lo applicherebbe al problema.

Fra i problemi possibili per quest'esercizio si potrebbero includere i seguenti:

Progettazione di un distributore di monete.

Modi di facilitare la spesa.

Miglioramento dell'abbigliamento.

Adeguato rifornimento idrico per le città.

Che fare con le auto tolte dalla circolazione.

6. Problema prestabilito

Si assegna un problema alla classe e ogni studente sceglie la propria analogia e la sviluppa mettendola in relazione con il problema. Alla fine i risultati vengono raccolti e commentati. Nel corso di tali commenti si potrebbero confrontare i diversi tipi di analogia prescelti. Potrebbero capitare delle occasioni in cui la stessa idea viene raggiunta attraverso vie completamente differenti.

7. Stesso problema, analogie differenti

Si assegna lo stesso problema a tutti gli studenti ma insieme ad analogie differenti. È possibile eseguire questo esercizio in gruppo. Si dividono gli studenti in gruppi ciascuno dei quali deve esaminare lo stesso problema. A ogni gruppo, tuttavia, viene assegnata un'analogia diversa. Alla fine della riunione un portavoce (equivalente di colui che tiene il verbale nelle riunioni di *brainstorming*) fa un resoconto sommario di come il gruppo ha messo in relazione l'analogia con il problema.

Problema proposto:
Cercare la via nella nebbia.

Analogie proposte:
Una persona miope trova la sua strada.

Un viaggiatore in un paese straniero cerca di trovare la stazione ferroviaria.

Cercare qualcosa che si sia smarrito in casa (per esempio, un gomitolo di spago).

Fare le parole crociate.

8. Stessa analogia, problemi differenti

Si può procedere nello stesso modo della riunione precedente su base individuale o di gruppo. I diversi problemi vengono stabiliti ma in ogni caso devono essere messi in relazione con la stessa analogia. Alla fine si confrontano le annotazioni per vedere come l'analogia sia stata adattata ai diversi problemi.

Analogia proposta:
Cercare di avviare un'auto in una fredda mattina invernale.

Problemi proposti:
Come affrontare un difficile problema matematico.
Soccorrere un gatto su un alto cornicione.
Pescare.
Ottenere dei biglietti per una partita di calcio molto popolare.

Sommario

Le analogie offrono un metodo utile per procedere quando si cerca di trovare nuovi modi di considerare una situazione anziché restare in attesa dell'ispirazione. Come nel caso delle altre tecniche del pensiero laterale l'importante è che non ci si muova solamente quando si può vedere dove si va. Ci si mette in moto per il gusto di farlo e poi si vede cosa succede. Un'analogia è un modo proficuo di cominciare perché le analogie possiedono una «vita» propria e definita. Non c'è alcun tentativo di usare le analogie per dimostrare qualcosa. Le si utilizza solamente come stimoli. La principale utilità delle analogie consiste nel loro essere veicolo di funzioni, processi e relazioni che si possono poi trasferire al problema in esame per contribuire alla sua ristrutturazione.

17

SCELTA DEI PUNTI D'ACCESSO
E DEL CAMPO D'ATTENZIONE

La caratteristica più importante della mente quale sistema di elaborazione dell'informazione è la sua capacità di scelta. Questa capacità di scelta nasce direttamente dal comportamento meccanico della mente come sistema mnesico automassimizzante. Un tale sistema ha un campo limitato d'attenzione. Un campo limitato d'attenzione può localizzarsi solamente su parte di un settore d'informazione. Quella parte del settore d'informazione su cui si localizza il campo limitato d'attenzione è quindi «scelta» o «selezionata». Il processo è in realtà passivo, ma si può ancora parlare di scelta e selezione. Il comportamento di questo campo limitato di attenzione e del meccanismo di sistema soggiacente è spiegato nei particolari altrove.*

Il «campo di attenzione» si riferisce alla parte di una situazione o di un problema di cui ci si occupa. Il «punto d'accesso» si riferisce alla parte di un problema o di una situazione di cui ci si occupa la *prima volta*. Un punto d'accesso è naturalmente il primo campo d'attenzione e può o meno essere seguito da altri punti secondo la complessità della situazione.

Dal punto di vista della ristrutturazione intuitiva la scelta del punto d'accesso è della massima importanza. Si potrebbe quasi asserire che quando non si aggiunge ulteriore informazione al sistema, è la scelta del punto d'accesso che dà luogo alla ristrutturazione intuitiva. Che le cose stiano così consegue direttamente dalla struttura di questo tipo di sistema di elaborazione dell'informazione.

I modelli si fissano sulla superficie mnesica che è la mente secondo la sequenza d'arrivo dell'informazione.

Una volta stabiliti, questi modelli hanno un comportamento «naturale» fintantoché tendono a svilupparsi in certi modi e a collegarsi con altri modelli. Lo scopo del pensiero laterale è quello di ristrutturare questi modelli ed elaborare l'informazione in nuovi modelli.

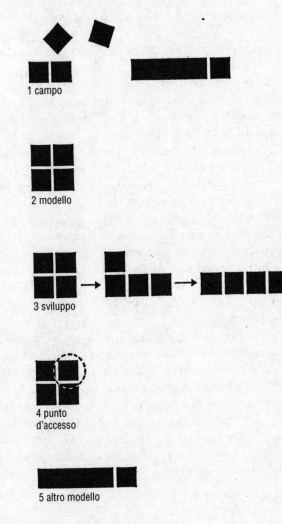

1 campo

2 modello

3 sviluppo

4 punto
d'accesso

5 altro modello

Le serie di diagrammi qui sopra raffigurati illustrano il naturale comportamento modellizzante della superficie mnesica della mente:

1. Settore dell'informazione disponibile.
2. L'informazione viene strutturata in un modello naturale.
3. Il modello naturale ha una linea naturale di sviluppo.
4. Nello sviluppo naturale di un modello esiste un punto d'accesso da cui si parte.
5. Dal settore originario dell'informazione l'attenzione ha selezionato solamente un campo limitato. Se il campo d'attenzione fosse stato differente, anche il modello e il suo sviluppo sarebbero stati differenti.

La scelta del punto d'accesso è di enorme importanza perché l'ordine in cui le idee si susseguono una dopo l'altra può determinare il risultato finale anche se le idee sono le medesime. Se riempite una vasca da bagno usando solamente il rubinetto dell'acqua calda e poi aggiungete l'acqua fredda alla fine la sala da bagno sarà interamente immersa nel vapore e le pareti saranno umide. Se invece fate scorrere un po' d'acqua fredda fin dall'inizio, non ci sarà alcun vapore e le pareti resteranno asciutte. Eppure le effettive quantità di acqua calda e fredda saranno esattamente le stesse in ciascun caso.

La differenza può essere enorme anche se le idee effettivamente esaminate sono le stesse, ma in pratica un differente punto d'accesso di solito significherà un diverso corso delle idee. Una foto di un uomo con un bastone in mano seguita da una che ritrae un cane che corre potrebbe suggerire che l'uomo sta lanciando dei bastoni perché il cane li riporti. Una foto di un cane che corre seguita da una che ritrae un uomo con un bastone in mano potrebbe suggerire che l'uomo sta scacciando il cane dal suo giardino.

Punto d'accesso

Dividete un triangolo in tre parti in modo tale che le parti si possano ricomporre formando un rettangolo o un quadrato.

Il problema è piuttosto difficile poiché la forma del triangolo non è specificata. Innanzi tutto dovete scegliere una forma di triangolo e poi scoprire come possa essere divisa in tre elementi che si possano ricomporre per formare un quadrato o un rettangolo.

La soluzione del problema è raffigurata a pagina 177. Naturalmente è molto più facile cominciare con il quadrato anziché con il triangolo che viene suggerito in partenza. È impossibile mettere in questione la forma di un quadrato mentre la forma di un triangolo (e in misura minore di un rettangolo) è variabile. Poiché le tre parti devono combinarsi di nuovo fino a formare un quadrato, è possibile risolvere il problema dividendo un quadrato in tre parti che possano essere rimesse insieme formando un rettangolo o un triangolo. Due modi di farlo sono raffigurati a pagina 177.

In molti libri per l'infanzia c'è una specie di rompicapo in cui vengono mostrati tre pescatori le cui lenze sono state aggrovigliate. In fondo all'illustrazione è raffigurato un pesce attaccato a una delle lenze. Il problema consiste nel trovare quale pescatore ha preso il pesce. Si presume che i bambini seguano la lenza dalla cima della canna da pesca allo scopo di trovare quale lenza porti il pesce alla sua estremità. In questo caso i tentativi possono essere uno, due o tre poiché il pesce può trovarsi attaccato a una delle tre lenze. Naturalmente è molto più facile cominciare dall'altra estremità e seguire la linea verso l'alto, dal pesce al pescatore. Con questo metodo non occorrerebbe più di un tentativo.

C'è un semplice problema che richiede di tracciare il contorno di un cartoncino di forma tale che con un singolo taglio diritto si riesca a dividerlo in sole quattro parti più piccole, di dimensione, forma e area esattamente simili. Non è consentita alcuna piegatura.

La risposta consueta a questo problema è illustrata a pagina 178 con la percentuale delle persone che danno ciascun tipo di risposta. La soluzione data dai gruppi B e C è ovviamente scorretta perché un «taglio» non ha spessore e di conseguenza dividerà la forma in due elementi e non nei quattro richiesti.

La risposta D è corretta. È interessante notare che la risposta F è tanto rara perché col senno di poi sembra la più facile di tutte (la spiegazione sta nel fatto che è molto difficile immaginare delle forme asimmetriche e nella forma F le parti non sono tutte usate alla stessa maniera). L'importante di questo problema, tuttavia, è che, se si parte dalla conclusione errata, lo si risolve con maggiore facilità. Anziché cercare di escogitare una forma che si possa dividere in quattro parti uguali, si comincia da quattro parti uguali e le si raggruppa intorno a un taglio immaginario. All'inizio si potrebbero disporre le parti come illustrato nella pagina 179, ma non è affatto difficile passare alla fase successiva in cui le si sposta fino a ottenere la soluzione.

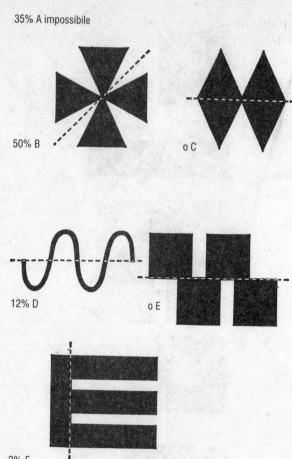

35% A impossibile

50% B

o C

12% D

o E

3% F

Quella di partire dalla conclusione errata e operare risalendo all'indietro è propriamente una ben nota tecnica del *problem solving*. La ragione per cui è efficace dipende dal fatto che il corso del pensiero può essere del tutto differente da quello che sarebbe stato se si fosse partiti dall'inizio. Non esiste alcuna necessità di partire veramente dalla conclusione. È opportuno farlo poiché la soluzione è spesso nettamente definita. Ma è possibile partire da qualsiasi punto. Se non esiste nessun punto evidente, si deve allora crearlo.

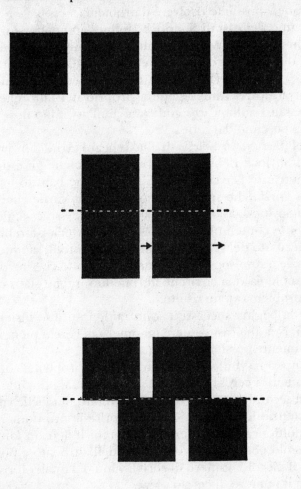

Campo d'attenzione

Il punto d'accesso costituisce il primo campo d'attenzione. Di solito l'attenzione parte da questo punto ma in seguito abbraccia l'intero problema. A volte però parti importanti del problema vengono completamente omesse. Solamente quando queste parti vengono sottoposte all'attenzione è possibile risolvere il problema.

In uno dei casi di Sherlock Holmes compariva un grosso cane. Il dottor Watson accantonò il cane quale elemento privo di rilievo perché non aveva fatto nulla nella notte del delitto. Sherlock Holmes sottolineò invece che l'enorme importanza del cane risiedeva proprio nel fatto che non avesse fatto nulla. Ciò significava che l'assassino doveva essere conosciuto dal cane.

Nel *Mercante di Venezia* di Shakespeare arriva il momento in cui Shylock richiede la libbra di carne che gli è dovuta dal mercante per contratto. Shylock viene battuto in astuzia da Porzia che sposta l'attenzione dalla carne che è dovuta a Shylock al sangue che deve scorrere con essa. Poiché ciò non è contemplato dal contratto, Shylock potrebbe essere accusato del grave reato di spargimento di sangue. Così, grazie a uno spostamento dell'attenzione che introduce nel problema qualcosa che altrimenti sarebbe stato omesso, il problema viene risolto.

Nella pagina successiva sono raffigurati due insiemi di cerchi. Nei due casi contate il numero di cerchi pieni il più rapidamente possibile.

Il modo naturale di affrontare questo problema consiste nel contare i cerchi pieni in ciascun caso. Ma quando arrivate al secondo insieme di cerchi è molto più facile spostare l'attenzione sui cerchi vuoti, scoprire il loro numero totale moltiplicando il numero di cerchi lungo un lato del rettangolo per il numero di cerchi dell'altro lato e poi sottrarre il piccolo numero di cerchi vuoti dal totale. Il risultato sarà il numero di cerchi pieni.

In un torneo di tennis ci sono centoundici partecipanti. Si tratta di un torneo di singolare e voi come segretari dovete organizzare le partite. Qual è il numero minimo di partite che si dovrebbero organizzare con questo numero di partecipanti?

Messa di fronte a questo problema la maggioranza delle persone traccia piccoli diagrammi raffiguranti gli effettivi accoppiamenti in ciascuna partita e il numero di giocatori eccedenti. Altri cercano di trovare la soluzione con riferimento a 2^n (ovvero 4, 8, 16, 32 ecc.). In realtà la risposta è centodieci partite e si può trovare subito questo risultato senza complicati calcoli matematici. Per ottenere la soluzione si deve spostare l'attenzione dai vincitori di ciascuna partita agli sconfitti (ai quali di solito nessuno è veramente interessato). Poiché può esserci un solo vincitore devono esserci centodieci sconfitti. Ogni sconfitto può perdere solamente una volta sicché devono esserci centodieci partite.

In un certo senso quest'ultimo problema potrebbe essere considerato quale esempio dell'utilità di spostare il punto d'accesso, ma il fatto è che di solito degli sconfitti non si tiene mai conto. Molto spesso in una situazione non importa tanto l'ordine in cui ci si occupa delle parti, quanto la scelta delle parti su cui sarà puntato l'interesse. Se non si tiene in considerazione un certo elemento, è molto improbabile che vi si faccia ritorno in seguito. Né di solito esiste in ciò su cui si è volto l'interesse alcunché che indichi quanto è stato lasciato in disparte.

Per queste ragioni la scelta del campo di attenzione può fare una gran differenza circa il modo in cui si considera la situazione. Per ristrutturare la situazione può bastare un leggero spostamento di attenzione. D'altro canto, se non c'è tale spostamento dell'attenzione può rivelarsi molto difficile considerare la situazione in un modo diverso.

Avvicendamento dell'attenzione

Dato che l'attenzione è fondamentalmente un fenomeno passivo non è di alcuna utilità sperare che essa proceda nella direzione giusta. Occorre fare qualcosa in proposito. Anche se il processo è passivo è tuttavia possibile orientare l'attenzione trovando una struttura che incida su di essa. Per esempio potreste decidere, laddove vi scopriste a fissare qualcosa, di spostare lo sguardo verso un punto a circa mezzo metro a sinistra di ciò che stavate fissando. Dopo un po' l'attenzione si sposterebbe automaticamente su quel punto anche se non vi fosse nulla ad attrarla. L'attenzione segue i modelli fissati nella mente non quelli esterni.

Come nel caso della procedura d'inversione, ci si può dunque volgere intenzionalmente altrove rispetto a ciò cui si farebbe naturalmente attenzione, allo scopo di vedere che cosa accade se si focalizza l'attenzione su qualcos'altro.

Per esempio, nel problema del torneo di tennis si sarebbe potuto dire: «Sto cercando di vedere quante partite si dovrebbero effettuare per arrivare a un vincitore, anziché vedere quanti incontri si sarebbero dovuti effettuare per determinare 110 sconfitti». Questa procedura di capovolgimento può funzionare benissimo se nella situazione c'è un centro naturale e definito dell'attenzione.

Un altro metodo è quello di elencare le diverse caratteristiche della situazione e quindi procedere sistematicamente all'esame di quest'elenco volgendo l'attenzione di volta in volta a ciascuna caratteristica. Qui l'importante è non pensare che alcune caratteristiche siano tanto futili da non meritare qualche attenzione. La difficoltà sta nel fatto che in qualsiasi situazione si possono individuare tutte le caratteristiche che si vogliono, poiché esse non risiedono nella situazione ma nel modo in cui la si considera.

Si supponga di considerare il problema dei lavori domestici. Si potrebbero elencare in successione le seguenti caratteristiche oggetto d'attenzione:

Necessità di eseguirli (per scelta o per obbligo).

Tempo di esecuzione.

Indispensabili alla condotta o rinforzanti.

Tempo di viaggio per arrivare a casa.

Luogo dove farli a casa.

Cose che si potrebbero fare altrimenti.

Programmi televisivi concorrenti.

Consuetudinari o occasionali.

Abilità del padre o della madre nell'aiutare.

Operatori veloci e lenti.

Si è interessati a ciò che si fa o alla quantità di tempo che si spende facendoli?

Frustrazione e noia dei lavori domestici.

I lavori domestici come elemento per diminuire la quantità o l'impatto dei compiti scolastici.

Supponete che il problema sia quello di liberarsi dalle erbacce. Il centro naturale dell'attenzione è la crescita delle erbacce che porta ai sistemi di disinfestazione. Ma non si rivolge nessuna attenzione a che cosa accade dopo la scomparsa delle erbacce o a che cosa accadrebbe se le erbacce dovessero sopravvivere. L'attenzione è rivolta alle erbacce e alla disinfestazione. In un recente esperimento alcune strisce di terra in un campo sono state irrorate con un comune diserbante mentre in altre zone le erbacce sono state lasciate crescere. Si è scoperto che il raccolto ottenuto dalle strisce non irrorate era in realtà maggiore.

Nel corso di un'epidemia di afta epizootica secondo consuetudine si bruciano i cadaveri degli animali infetti se il terreno non è profondo a sufficienza per sotterrarli. Ma durante l'incenerimento si levano correnti di aria calda e dal fuoco si spargono particelle su un'area vastissima. È possibile che tali particelle siano infettate dal virus che è sfuggito al calore del fuoco e così la malattia potrebbe tendenzialmente diffondersi. Qui l'attenzione è posta sull'eliminazione degli animali infetti non sugli effetti del metodo usato per liberarsene.

Un utilissimo farmaco venne scoperto poiché qualcuno osservò che quando esso era stato usato per qualche disturbo del tutto diverso il paziente urinava sempre abbondantemente. Poiché non era questo lo scopo del trattamento, nessuno concentrò l'attenzione sul fenomeno finché qualcuno a un tratto si rese conto che si era alla presenza di un farmaco in grado di far urinare i pazienti.

Pratica

1. Identificare i punti d'accesso

Si legge ad alta voce un articolo riguardante un problema particolare o lo si consegna agli studenti, ai quali viene chiesto di elencare i possibili punti d'accesso per affrontare il problema stesso. Si chiede loro anche di definire il punto d'accesso utilizzato dallo scrittore nell'articolo. Per esempio, in un articolo sulla fame nel mondo l'autore potrebbe aver scelto quale punto d'accesso lo spreco di cibo in alcuni paesi oppure la sovrappopolazione o ancora l'inefficienza dell'agricoltura. In base ai risultati l'insegnante elenca i possibili punti d'accesso che sono stati suggeriti e ne aggiunge altri.

2. Punti d'accesso per problemi misti

Si scrive alla lavagna un elenco di problemi e si chiede agli studenti in classe di proporre spontaneamente vari punti d'accesso per ciascun problema. Si chiede a ogni studente che propone un suggerimento di elaborarlo brevemente.

Fra i problemi si potrebbero includere:

La produzione di cibo sintetico.

L'accettazione di cibo sintetico.

Un tipo migliore di salsiccia.

Il problema dei cani randagi.

Un metodo facile per pulire le finestre.

3. Stesso problema, punti d'accesso differenti

Lo si può affrontare individualmente o con attività di gruppo. Si stabilisce lo stesso problema per tutti i gruppi ma a ciascuno di questi viene assegnato un punto d'accesso differente. Alla fine il portavoce di ogni gruppo discute sul modo in cui ciascuno di essi ha usato il punto d'accesso. Qui l'importante è controllare che il gruppo faccia davvero uso del punto d'accesso. Di solito si è tentati di considerare il problema nel modo naturale e quindi di collegare il punto d'accesso con tale modo naturale.

Problema suggerito:
Un metodo per proteggersi dalla pioggia mentre si cammina per la strada.

Punti d'accesso proposti:
Il fastidio di doversi portare un ombrello.

Ineleganza degli ombrelli quando sono in molti a usarli.

Perché uscire con la pioggia?

Che importa bagnarsi?

4. Informazione omessa (storia)

Nel raccontare una storia normalmente si omettono tutte le informazioni non essenziali al suo sviluppo. Ma se si desidera esaminare la situazione stessa più che il modo in cui viene descritta da qualcun altro, si deve cercare di rimettere l'informazione al proprio posto. Si può prendere una storia da un giornale oppure una storia molto nota. Nella classe aperta si chiede agli studenti di suggerire quali elementi sono stati omessi.

Per esempio, Jack e Jill salirono sulla collina per andare a prendere un secchio d'acqua. Jack cadde e si ruppe la testa, poi Jill ruzzolò.

Accadde all'andata o al ritorno?

Jill venne spinta?

Perché in ogni caso Jill cadde?

Perché Jack cadde?

Perché salivano per attingere acqua?

5. Informazione omessa (illustrazione)

In questo caso si utilizza una foto o un'illustrazione anziché una storia. Uno studente esamina la foto e la descrive alla classe. Poi ogni studente redige una semplice versione di ciò che pensa a proposito dell'aspetto della foto descritta. Dalla natura di queste versioni è possibile capire quale informazione sia stata omessa nella descrizione della foto. Un altro modo di procedere da parte dello studente è quello di descrivere la foto mentre gli altri gli rivolgono delle domande. Quand'anche una domanda potesse trovare risposta nella foto, lo studente che l'ha descritta potrebbe non aver rivolto la sua attenzione a quella parte dell'immagine.

6. Ulteriori informazioni

Si mostra una foto all'intera classe. Ogni studente annota le informazioni che riesce ricavare dall'immagine. Alla fine i risultati vengono raccolti e raffrontati. Il confronto fra la persona che trae *più* informazioni e quella che ne ricava *meno* dimostra quanto possa essere limitato un campo di attenzione.

7. Lista di controllo

Si assegna un problema e agli studenti si chiede di elencare tutte le diverse caratteristiche sulle quali vorrebbero avvicendare la loro attenzione. È possibile farlo in una classe aperta sulla base di proposte spontanee o con gli studenti presi individualmente con confronto conclusivo delle liste.

Fra i problemi da proporre si possono includere:

Sveglie incapaci di destare dal sonno.

Progettazione di una vasca da bagno.

Montaggio di un filo per il bucato.

Decisione sul luogo di costruzione di un aeroporto.

Riduzione del rumore di moto e camion.

8. Racconti polizieschi

Nella maggior parte dei racconti polizieschi è difficile scoprire l'assassino perché alcuni elementi non sono presi in considerazione o si sceglie il punto d'accesso errato. Lo scrittore di un buon poliziesco cerca di portare il lettore a entrambi questi errori. L'insegnante escogita un breve racconto poliziesco che contiene indizi a sufficienza per indicare chi potrebbe essere l'assassino. La storia viene letta in classe e ogni studente deve trovare il colpevole e motivare la sua scelta. Agli studenti si può poi chiedere di scrivere un proprio racconto poliziesco sulla base di queste indicazioni. Queste storie vengono lette ad alta voce in classe a turno. Per ciascun racconto si accerta il numero di studenti che sono giunti alla giusta conclusione. Si può interpellare l'autore del racconto perché mostri come abbia incluso sufficienti indizi per individuare l'assassino.

Sommario

A causa della natura del sistema mnesico automassimizzante della mente, il punto d'accesso per l'esame di una situazione o di un problema può fare una gran differenza rispetto al modo in cui è strutturato. Di solito si scelgono i punti d'accesso ovvi. Un siffatto punto d'accesso è determinato dal modello stabilito e così a questo riconduce. Non esiste un metodo per distinguere quale punto d'accesso sarà il migliore e, di conseguenza, di solito ci si accontenta del più ovvio. Si suppone che la scelta del punto d'accesso non sia importante poiché si arriverà sempre alle stesse conclusioni. Ma non è così perché l'intero corso del pensiero può essere determinato dalla scelta del punto d'accesso. Si rivela utile sviluppare una certa abilità nell'individuare e seguire punti d'accesso differenti.

Il campo d'attenzione è limitato e include un minor numero di informazioni rispetto a quelle disponibili. Se si omette di esaminare qualcosa, non c'è nulla che la riproponga all'attenzione in un momento successivo. Di solito ciò che è presente non richiama ciò che è stato perduto. Abitualmente l'attenzione si fissa sui campi più evidenti. Un lieve spostamento dell'attenzione può da solo ristrutturare una situazione. Si cerca intenzionalmente di avvicendare l'attenzione su tutte le parti del problema, soprattutto su quelle che sembrano non meritarla.

18
STIMOLO CASUALE

Le tre condizioni per favorire il pensiero laterale discusse nel presente volume sono:

• La consapevolezza dei princìpi del pensiero laterale, la necessità del pensiero laterale, la rigidità dei modelli del pensiero verticale.

• L'uso di alcune tecniche definite allo scopo di sviluppare il modello generale e dare luogo alla ristrutturazione.

• L'intenzionale modificazione delle circostanze per poter dare impulso alla ristrutturazione.

La maggioranza delle tecniche discusse finora ha operato dall'interno di un'idea. L'idea è stata sviluppata in base a qualche processo ordinario con l'intenzione di permettere alle informazioni il rapido passaggio a un nuovo modello. Ma anziché cercare di operare dall'interno dell'idea si può intenzionalmente produrre uno stimolo che agisca sull'idea dall'esterno. Così funziona lo stimolo casuale.

Alcuni fra i metodi laterali discussi in questo libro non si sono rivelati molto diversi da quelli verticali benché il modo in cui venivano utilizzati e l'intenzione alla base possano essere stati differenti. L'uso dello stimolo casuale è fondamentalmente diverso dal pensiero verticale. Con il pensiero verticale si affronta solamente ciò che è rilevante. In realtà, si trascorre gran parte del proprio tempo a individuare che cosa è significativo e che cosa non lo è. Con lo stimolo casuale si fa uso di qualsiasi informazione in qualsiasi caso. Per quanto possa essere priva di relazioni, nessuna informazione viene respinta perché inutile. Quanto più l'informazione è irrilevante tanto più può rivelarsi proficua.

Generazione di input casuali

Due sono i modi principali in cui determinare lo stimolo casuale:

- Esposizione.
- Generazione formale.

Esposizione

La divisione fra esposizione e generazione formale dello stimolo casuale è solamente una questione di opportunità. Se ci si mette attivamente in una posizione in cui si è soggetti allo stimolo casuale si è in presenza sia di esposizione sia di generazione formale. I seguenti punti possono servire a illustrare il modo in cui è possibile avvalersi dello stimolo casuale.

1. Accettare e persino dare il benvenuto agli input casuali. Anziché escludere qualche elemento che appare irrilevante, lo si considera quale input casuale e gli si presta attenzione. Questa procedura non implica alcuna ulteriore attività se non un atteggiamento di osservazione di quanto si presenta.

2. Esposizione alle idee altrui. In una riunione di *braistorming* le idee degli altri agiscono quali input casuali nel senso che non devono seguire il corso del pensiero del partecipante anche se occupano un unico campo semantico. L'ascolto degli altri, anche se si è profondamente in disaccordo con le loro idee, può dar luogo a un proficuo input.

3. Esposizione a idee appartenenti a campi completamente differenti. Questa procedura a volte va sotto il nome di «fecondazione interdisciplinare». Si tratta di discutere un argomento con qualcuno di un campo completamente differente. Per esempio, un luminare della medicina potrebbe discutere il comportamento di sistemi con un analista economico o con uno stilista. Si possono anche ascoltare altre persone mentre parlano della propria materia.

4. Esposizione fisica allo stimolo casuale. Questa procedura può comportare una peregrinazione in un'area che contiene una moltitudine di oggetti differenti, per esempio un grande magazzino come Woolworth o un negozio di giocattoli. Può anche significare recarsi a una mostra che non ha nulla a che vedere con l'argomento a cui si è interessati.

La caratteristica principale del metodo dell'esposizione risiede nel rendersi conto che non *si è mai alla ricerca di qualcosa.* Si potrebbe andare a una mostra per vedere se c'è qualcosa di pertinente. Si potrebbe discutere un problema con qualche esperto in un altro campo di competenze allo scopo di ascoltarne le opinioni. Ma questo *non* è lo scopo. Se si va alla ricerca di qualcosa di pertinente, si sono prestabilite le idee di pertinenza. E tali idee di pertinenza prefissate possono solo sorgere dal modo comunemente accettato di considerare la situazione. Qui invece si vaga con la mente completamente sgombra in attesa di qualcosa che catturi l'attenzione. Se nulla sembra catturare l'attenzione, ancora non s'è prodotto alcuno sforzo per trovare qualcosa di utile.

• *Generazione formale di input casuale*

Poiché l'attenzione è un processo passivo, anche se si gironzola in una mostra senza cercare qualcosa di pertinente, l'attenzione tende a volgersi su oggetti che hanno una qualche attinenza con il modo prestabilito di considerare una situazione. Per quanto si cerchi di esimersi con forza dal farlo, si opera pur tuttavia una qualche selezione. Ciò riduce la natura casuale dell'input ma gli permette di essere assai efficace. Al fine di usare autentici input casuali occorre generarli intenzionalmente. La cosa può apparire paradossale dato che si suppone che un input casuale si produca per caso. Ciò che si fa in realtà è avviare un processo

191

formale per produrre eventi casuali. Una situazione di tal fatta è per esempio il lancio di un paio di dadi. Qui di seguito si propongono tre metodi:

1. Uso di un dizionario per procurarsi una parola a caso.

2. Selezione formale di un libro o di una rivista in una biblioteca.

3. Uso di una certa procedura per selezionare un oggetto fra quelli circostanti (per esempio, l'oggetto rosso più vicino). L'uso del dizionario sarà descritto con maggiori dettagli più avanti in questo capitolo. La selezione formale di un libro o di una rivista significa che si attribuisce valore al prelevare una rivista da una particolare posizione sugli scaffali quale che possa essere la pubblicazione. La si apre e si legge un articolo qualsiasi per quanto possa sembrare remoto. Si può procedere allo stesso modo con un libro. Questi sono soltanto esempi di come si possano avviare atteggiamenti o procedure intenzionali allo scopo di generare input casuali.

L'effetto dello stimolo casuale

Perché lo stimolo casuale dovrebbe essere efficace? Perché un'informazione completamente indipendente dovrebbe dare luogo alla ristrutturazione di un modello stabilito?

Lo stimolo casuale funziona solamente perché la mente funziona come sistema mnesico automassimizzante. In un tale sistema esiste una portata limitata e *coerente* dell'attenzione.* Ciò significa che due input qualsiasi non possono restare separati per quanto possano essere estranei l'uno all'altro. Normalmente se ci fossero due input indipendenti uno di essi verrebbe ignorato e ci si occuperebbe dell'altro. Ma se si presta attenzione intenzionalmente a entrambi (organizzando di proposito il contesto), allora fra i due si formerà effettivamente un collegamento. Dapprima può esserci un rapido avvicendarsi dell'attenzione fra i due argomenti ma presto l'effetto della memoria a breve termine* stabilirà una sorta di legame.

In questo tipo di sistema nulla può essere veramente privo di pertinenza.

I modelli fissati sulla superficie mnesica sono modelli stabili. Ciò non significa che non si trasformino ma che il modello di cambiamento è stabile. Il flusso di pensiero è stabile. Questo stato di equilibrio viene modificato dall'improvvisa immissione di qualche nuova informazione.

A volte il nuovo stato di equilibrio è molto simile al vecchio con una lieve alterazione volta a includere la nuova informazione. Altre volte si presenta una ristrutturazione completa. C'è un gioco nel quale dei dischi di plastica vengono collocati all'interno di una cornice un lato della quale viene costretto verso l'interno da una molla. La pressione di questa molla impone ai dischi di plastica di formare insieme una struttura stabile. Ogni giocatore a turno toglie un disco di plastica. Di solito il modello si trasforma lievemente per raggiungere un nuovo stato di equilibrio. Ma a volte si produce un grande mutamento e l'intero modello si ristruttura. Con un input casuale si immette qualcosa anziché toglierla ma il cambiamento dell'equilibrio si verifica allo stesso modo.

Lo stimolo casuale può operare in altri due modi. L'input casuale può dar luogo a un nuovo punto d'ingresso al problema in esame. Il diagramma qui sotto suggerisce una situazione e il modo naturale in cui essa si svilupperebbe. Si aggiunge allora un input casuale e si genera una connessione fra la situazione e l'input casuale. Ne consegue così la comparsa di un nuovo punto d'ingresso e la linea di sviluppo della situazione originaria può essere modificata.

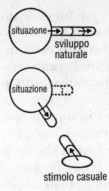

situazione

sviluppo
naturale

situazione

stimolo casuale

Un input casuale può operare anche come un'analogia. Una singola parola di un dizionario determina una situazione che ha la propria linea di sviluppo. Quando questa viene messa in relazione con lo sviluppo del problema in esame si ha l'effetto analogico descritto in un capitolo precedente.

Stimolo verbale casuale

Si tratta di una precisa procedura pratica in cui l'autentica natura casuale dell'input è al di là d'ogni dubbio. Se si è dei puristi, si può usare una tavola di numeri casuali per selezionare una pagina in un dizionario. Anche il numero di una parola su detta pagina (contando dall'alto) è ottenibile dalla tavola dei numeri casuali. Con minor fatica si può semplicemente pensare a due numeri e trovare la parola in questo modo. Oppure si lanciano dei dadi. Quel che non si deve fare è aprire un dizionario e scorrerne le pagine finché non si trova una parola conveniente. Si tratterebbe in tal caso di selezione e sarebbe inutile da un punto di vista dello stimolo casuale.

I numeri 473-13 sono stati ricavati da una tavola di numeri casuali e mediante il Penguin English Dictionary si è localizzata la parola: «cappio». Il problema in esame era «la carenza di abitazioni». In un tempo di tre minuti si sono prodotte le seguenti idee:

- cappio - cappio che stringe - esecuzione - quali sono le difficoltà nell'eseguire un programma edilizio - qual è il collo di bottiglia, il capitale, il lavoro o la terra?

- il cappio stringe - le cose peggioreranno con l'attuale tasso di incremento demografico.

- cappio - corda - sistema di costruzioni sospese - case simili a tende ma di materiali permanenti - facili da trasportare ed erigere - o su larga scala con diverse case sospese a una struttura - i materiali più leggeri possibile se le pareti non devono sostenere se stesse e il tetto.

- cappio - laccio - laccio regolabile - che ne è delle case circolari regolabili che potrebbero espandersi a piacimento - basta srotolare le pareti - è inutile cominciare da case troppo grandi a causa dei problemi di riscaldamento, maggiore attenzione ai muri e ai soffitti, mobilia ecc. - ma facilitazioni per una lenta espansione passo a passo al sorgere delle necessità.

- cappio - trappola - preda - accaparramento di una parte del mercato del lavoro - depredare - gente depredata dai padroni di casa a causa della difficoltà di vendita e complicazioni - mancanza di mobilità - case come merci scambiabili - classificate in tipi - scambio diretto di un tipo con uno simile - o destinazione di un tipo all'uso collettivo e ottenimento di un tipo simile altrove.

Alcune fra le idee sopra riportate possono essere utili, altre no. Tutte potrebbero essere scaturite direttamente dal pensiero verticale ma ciò non significa che sarebbero sorte in questo modo. Come s'è avuto modo di discutere sopra, se un'idea è assolutamente sostenibile, allora deve essere possibile, col senno di poi, vedere come possa essersi formata grazie a mezzi logici, ma ciò non significa che ci si sarebbe arrivati comunque. A volte il collegamento con la parola casuale può essere effettuato dopo che l'idea si è presentata alla mente e non sarà invece la parola scelta a caso a stimolare l'idea. Tuttavia l'uso della parola scelta a caso ha dato impulso a un gran numero di idee differenti in un breve periodo di tempo.

Da questo esempio si può osservare il modo in cui viene usata la parola scelta a caso. Spesso la si utilizza per generare altre parole che pure si collegano con il problema in esame. Fra queste si possono annoverare nell'esempio: cappio - esecuzione - collo di bottiglia; cappio - corda - sospensione; cappio - laccio - preda. Una catena di idee si prolunga dalla parola scelta a caso allo scopo di effettuare un collegamento con il problema. A volte le proprietà funzionali di un cappio sono state trasferite al problema: cappio che si stringe, regolabile, circolare. È possibile utilizzare la parola scelta a caso in questi e in innumerevoli altri modi. *Non esiste un unico modo corretto di usarla.* In alcuni casi è possibile usare dei giochi di parole, o le parole contrarie o quelle dalla pronuncia lievemente diversa. Si usa la parola allo scopo di mettere in moto le cose, non per dimostrare qualcosa, e neppure per provare l'utilità dello stimolo verbale casuale.

• *Tempo consentito*

Nell'esempio sopra citato il tempo consentito era di tre minuti, un intervallo sufficiente per stimolare le idee. Standosene seduti abbastanza a lungo a girare intorno a una parola si finisce per annoiarsi. Grazie alla pratica e alla fiducia in se stessi tre minuti, al massimo cinque, dovrebbero essere sufficienti. Quel che non si deve fare è scegliere a caso immediatamente un'altra parola alla fine del tempo concesso, perché così si tende a instaurare uno stile di ricerca in cui si passa da una parola all'altra fino a trovarne una adatta. Con parola adatta si intende soltanto una parola che si armonizza con le opinioni prestabilite relative alla situazione. Se si vuole provare con un'altra parola si dovrebbe presentare un'altra occasione. Sapere che si passerà direttamente a un'altra parola (e possibilmente a una migliore) riduce l'efficacia della prima. Anche dopo la fine del periodo stabilito si presenteranno altre idee, delle quali è possibile prendere nota. Ma non si tratta di passare il resto della giornata cercando disperatamente di estrarre il massimo dalla parola scelta a caso. Si può prendere l'abitudine di usare una parola di questo genere in relazione a un problema per tre minuti al giorno.

• *Fiducia*

Il fattore più importante nell'uso fecondo dello stimolo casuale è la fiducia. Non c'è alcun senso di urgenza o di tensione bensì una serena fiducia che qualcosa emergerà. È difficile costruire una tale fiducia perché da principio le idee si presenteranno lentamente. Ma quando si impara a trattare lo stimolo casuale nella consapevolezza che nulla può essere estraneo, si è di gran lunga più facilitati.

Pratica

1. Mettere in relazione una parola casuale
Si formula un problema e lo si scrive alla lavagna. Agli studenti si chiede di proporre una cifra compresa nel numero di pagine di un dizionario (per esempio, una cifra da 1 a 460) e un'altra cifra per ottenere la posizione della parola sulla pagina prescelta (per esempio, da 1 a 20). Con l'uso di un dizionario si individua la parola corrispondente e la si scrive con il suo significato (a meno che non si tratti di un termine molto familiare). A questo punto si chiede agli studenti di suggerire come la parola potrebbe essere messa in relazione con il problema. Da principio può rive-

larsi necessario che l'insegnante faccia egli stesso la maggior parte delle proposte finché gli studenti non familiarizzano con il procedimento. Ciascuna proposta viene elaborata brevemente, ma non si annotano i suggerimenti. La riunione dura da 5 a 10 minuti.

Possibili problemi:

Come affrontare il problema del taccheggio.

Miglioramento della sicurezza delle auto.

Un nuovo progetto di finestre per renderne più facile l'apertura e la chiusura senza pericolo di cadute all'esterno o di spifferi.

Nuovo progetto di paralume.

A meno che l'insegnante non sia del tutto sicuro della propria abilità nell'uso di *qualsiasi* parola casuale, sarebbe preferibile utilizzare l'elenco proposto qui di seguito anziché il dizionario. In tal caso alla classe verrebbe chiesto di dire una cifra compresa fra 1 e 20.

1. erbaccia	11. tribù
2. ruggine	12. bambola
3. povero	13. naso
4. ingrandire	14. anello di catena
5. schiuma	15. movimento
6. oro	16. dovere
7. cornice	17. ritratto
8. foro	18. formaggio
9. diagonale	19. cioccolato
10. vuoto	20. carbone

2. Stesso problema, parole differenti

In questo caso si formula un problema ma si usano diverse parole casuali. Ogni studente lavora da solo e annota come la parola generi idee relative al problema. Al termine si raccolgono i risultati. Se c'è tempo, i risultati vengono analizzati per vedere se si presenta qualche concordanza d'approccio che dipenda dalla parola casuale di cui si è fatto uso. Si può giungere alla medesima idea in diversi modi a seconda della parola scelta. Se non c'è molto tempo, si scelgono a caso alcuni risultati e li si legge ad alta voce. Si può anche prendere l'idea conclusiva in ciascuna serie di pensieri e chiedere alla classe di immaginare quale fosse la parola casuale nell'esempio particolare e il corso del pensiero che a esso conduce. (Per esempio, se il problema fosse «vacanze» e la parola casuale «tacchino», una serie di pensieri potrebbe svilupparsi così: tacchino - cibo speciale - Natale - vacanza speciale - più vacanze con uno scopo speciale. Si prenderebbe semplicemente l'enunciato «più vacanze con uno scopo speciale» e si chiederebbe quale potrebbe essere all'origine la parola casuale.)

Bastano due o tre parole casuali distribuite nella classe. Un numero maggiore creerebbe solo confusione. Si possono scegliere le parole da un dizionario o dalla lista sopra citata.

Fra i possibili problemi si potrebbero includere i seguenti:

Pulizia di una spiaggia dal petrolio.

Disinfestazione di un giardino dalle erbacce.

Progetto di dispositivo per soccorrere le persone in un edificio in fiamme.

Produzione di stoffe in plastica per l'abbigliamento (possibile trattamento per far «cadere» gli abiti in modo impeccabile).

3. Stessa parola, problemi differenti

Si può effettuare con una riunione di pratica individuale o in una classe aperta. Si sceglie una sola parola casuale e si assegna a ogni studente un problema fra i due o tre prescelti. Lo studente opera per mettere in relazione la parola scelta e il problema che gli è stato assegnato. Alla fine si confrontano i risultati per mostrare i diversi usi della stessa parola.

In una classe aperta si elencano tre problemi. Si collega volta a volta a ciascuno dei tre problemi la parola casuale.

A ogni problema si dedicano cinque minuti. Gli studenti avanzano spontaneamente dei suggerimenti e l'insegnante ne aggiunge di propri se si verifica una pausa. È preferibile che i tre problemi non siano scritti insieme perché in tal caso gli studenti potrebbero anticipare il problema posto per ultimo.

Possibili parole casuali:

canale di scolo

macchina

cucina

foglia. ·

Possibili problemi:

Come immagazzinare l'informazione per renderla più facilmente disponibile.

Come imparare in minor tempo una materia.

Un mezzo utile per arrampicarsi sugli alberi.

Progetto per una sala cinematografica più efficiente.

4. Problemi individuali

Ogni studente annota qualche problema che gli piacerebbe affrontare. Lo scrive in duplice copia, appone un nome o un numero su ciascun foglio e ne consegna una copia all'insegnante. La copia serve per impedire un improvviso cambiamento nel problema quando viene assegnata la parola casuale. Si sceglie la parola (trovandola mediante numero di pagina ecc. proposto dagli studenti per individuare un lemma nel dizionario oppure indicato dall'insegnante).

Prima della consegna degli elaborati si chiede ad alcuni studenti di descrivere al resto della classe come abbiano messo in relazione la parola al proprio problema. In questo tipo di lezione è possibile farsi un'idea di come la stessa parola casuale possa essere utilizzata in molte situazioni diverse. Se qualche studente scopre di non riuscire a fare alcun progresso, l'insegnante esamina il problema con lui mostrandogli come si potrebbe usare nelle singole situazioni la parola casuale.

Possibili parole casuali:
uova strapazzate
cacciavite
bomba
maniglia.
5. Oggetti casuali

Gli oggetti non sono casuali per l'insegnante che li sceglie ma per gli studenti ai quali vengono presentati. I vantaggi di un oggetto rispetto a una parola stanno nel fatto che un oggetto reale lo si può guardare in molti più modi rispetto alla parola che lo descrive. Con la parola si dovrebbe riuscire a *immaginare* un oggetto con la massima cura riguardo ai particolari ma in pratica non lo si fa e la funzione dell'oggetto tende a sfumarne le altre caratteristiche. Si assegna un problema agli studenti e poi si presenta l'oggetto casuale. Si lavora in una classe aperta con gli studenti che suggeriscono come si possa mettere in relazione l'oggetto con il problema oppure si può optare per una ricerca individuale con commento dei risultati o con i singoli studenti che descrivono i propri elaborati.

Possibili oggetti:
una scarpa
un tubetto di dentifricio
un giornale
una mela
una spugna
un bicchiere d'acqua.

Fra i possibili problemi si potrebbero includere i seguenti:

Imparare a nuotare.

Un nuovo progetto di orologio.

Un dispositivo per mettere a letto o far alzare dal letto le persone disabili.

Sturamento di un canale di scolo.

Sommario

Se si opera solamente all'interno di un modello prestabilito, si tende a seguire la sua naturale linea di sviluppo ed è improbabile che si riesca a ristrutturarlo. Di solito si resta in attesa che fortunate circostanze rimedino l'informazione necessaria per avviare una ristrutturazione intuitiva. Con lo stimolo casuale si associa intenzionalmente al modello originario un'informazione estranea allo scopo di disturbo. Da questo scompiglio può nascere una ristrutturazione del modello o almeno una nuova linea di sviluppo. Affinché l'input casuale sia efficace non deve esserci selezione: appena c'è selezione, infatti, si presenta l'elemento di pertinenza e l'effetto di scompiglio dell'input casuale si riduce. Lo stimolo casuale è una provocazione. Dato il modo in cui opera la mente si può scoprire qualsivoglia stimolo in grado di sviluppare una relazione con qualsiasi altro.

19

CONCETTI/DIVISIONI/POLARIZZAZIONE

Divisione

Un limitato e coerente campo d'attenzione trae direttamente origine dal funzionamento della superficie mnesica automassimizzante che è la mente. Questo campo limitato d'attenzione significa che si reagisce solamente a un frammento dell'ambiente complessivo. Nel corso di un periodo di tempo si può prestare attenzione a un frammento e in seguito a un altro finché non si sia abbracciato l'ambiente nel suo insieme.

In effetti l'ambiente preso nel suo insieme, continuo e schiacciante, si divide in separati campi d'attenzione. Il processo può implicare la selezione di un singolo campo o può comportare la suddivisione dell'ambiente in una quantità di campi di attenzione, come si può osservare nel diagramma qui sotto. Non esiste differenza fondamentale fra i due processi se non nel fatto che uno abbraccia l'intero campo e l'altro no.

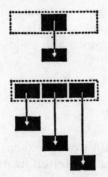

Benché nasca direttamente dal meccanismo del sistema, questo processo presenta vari vantaggi pratici.

1. È possibile reagire in modo specifico a qualche parte dell'ambiente. Di conseguenza, se l'ambiente nel suo insieme contenesse qualcosa di utile e qualcos'altro di dannoso, sarebbe possibile reagire diversamente a ciascuna parte.

2. Si possono affrontare ambienti nuovi e poco familiari individuando caratteristiche che sono familiari. Ci si potrà spiegare la situazione in termini di tali parti familiari.

3. È possibile spostare le parti separate e combinarle in modi diversi per produrre effetti che non sono disponibili nell'ambiente.

4. Si rende possibile la comunicazione perché si può descrivere una situazione frammento dopo frammento anziché come un tutto.

Separazione in unità, selezione di unità e combinazione di unità secondo modi differenti offrono insieme un potentissimo sistema di elaborazione dell'informazione. Tutte queste funzioni derivano direttamente dal meccanismo della mente.

• *Ricombinazione*

Il precedente diagramma mostra come si possano creare le unità dividendo una situazione complessiva. Ma si possono creare unità anche mettendo insieme altre unità fino a formarne una nuova che viene allora trattata come un'unità globale.

Parole, nomi, etichette

Quando si ottiene un'unità mediante lo smembramento di un'intera situazione o mettendo insieme altre unità è opportuno «fissarla» assegnandole un nome distinto. Il nome è distinto e unico per se stesso. Il nome istituisce l'unità come un modello che gode di diritti autonomi anziché essere solamente parte di un altro modello. Il possesso di un nome dà a un'unità una maggiore mobilità poiché la divide più nettamente dalle unità vicine e la anima di esistenza propria. Un nome è particolarmente utile per combinare diverse unità e formarne una nuova. Quest'ultima esiste a condizione che le si attribuisca un nome. Priva del nome tornerebbe a dissolversi nelle sue parti separate.

L'uso dei nomi per le unità è essenziale per la comunicazione. I nomi consentono di trasferire una situazione complessa una parte per volta.

Per poter essere di qualche utilità nella comunicazione i nomi devono essere fissi e permanenti. Quando si assegna un nome a un'unità, la forma di tale unità è «congelata» perché il nome stesso non cambia. Questa stabilità del nome è di vitale importanza per la comunicazione ed è utile anche per comprendere una situazione. Nella comprensione, tuttavia, non occorre effettivamente fare uso di nomi sebbene la maggioranza trovi opportuno usarli.

Miti

I miti sono modelli che nascono innanzi tutto nella mente. Quando questi modelli si sono formati, è possibile trovare qualcosa nell'ambiente che li giustifichi, altrimenti essi impongono il modo in cui considerare l'ambiente e così raggiungono una pseudogiustificazione.

Quando si possiedono dei nomi, è possibile operare con i nomi stessi e così produrre più nomi. Di conseguenza, se si possiede una parola, si può produrre una parola di significato opposto semplicemente aggiungendo una particella negativa [attento – dis-attento]. Ci si può poi guardare attorno per vedere a che cosa si addice questa nuova parola o la si può comunque usare sia che rappresenti qualcosa o meno. Parimenti, quando si hanno due parole, è possibile metterle insieme per ottenere una terza parola che è la combinazione delle due. Entrambi questi processi sono raffigurati nella pagina seguente. Queste nuove unità vengono create a livello di parole anziché essere derivate dall'ambiente. Ma anche queste parole mitiche ricevono lo stesso trattamento delle parole comuni, quelle che si riferiscono davvero alle cose reali. Anziché far seguito a qualche elemento, la parola mitica viene prima e «produce» veramente qualcosa nell'ambiente (imponendo il modo in cui considerare gli elementi). Entrambe le specie di parole possiedono lo stesso grado di stabilità e realtà; entrambe vengono trattate esattamente allo stesso modo.

Limitazioni nel sistema di denominazione

L'enorme vantaggio pratico del sistema di unità dotate di nome risiede nella sua stabilità e il suo enorme svantaggio pratico risiede ancora nella sua stabilità.

Nomi, etichette, parole sono anch'essi definiti e stabili; perciò le unità che sono state identificate da questi nomi devono pure essere fisse e stabili; perciò anche i modelli che sono combinazioni di tali unità tendono alla fissità e alla stabilità.

Il maggior svantaggio risiede nel fatto che una unità denominata, che sarebbe stata molto opportuna in un certo momento, può non esserlo più, anzi può essere limitante. Le associazioni denominate di unità (che si chiamano «concetti») sono persino più limitanti perché impongono un modo rigido di considerare una situazione. Quando c'è carestia in un paese che si ciba di riso e altri paesi inviano derrate di mais, il popolo affamato preferisce patire la fame. Tale è la rigidità del concetto «mais uguale cibo per animali».

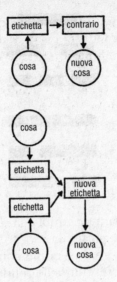

Anche se privo del nome un concetto sarebbe fissato dall'uso ripetuto e dalla crescente familiarità. L'applicazione su di esso di un'etichetta accelera il processo.

Alcune limitazioni che sorgono da questo processo di unità denominate vengono tratteggiate qui di seguito.

1. Una divisione in un punto utile produce due unità che diventano poi stabili e denominate. In seguito può essere più proficuo dividere la situazione originaria in tre unità come è illustrato nella figura (parte in alto) della pagina seguente. Stabilire le nuove unità è molto difficile poiché significa ritagliare dalle parti precedenti unità e metterle insieme fino a formare una nuova unità anziché far ritorno alle vecchie unità.

2. La figura (parte più in basso) della pagina seguente illustra come un complesso di unità si stabilizzi in una nuova unità. Se diventa più utile cambiare questo aggregato in modo da includere qualche nuova unità escludendone però alcune vecchie, l'operazione risulta molto difficile.

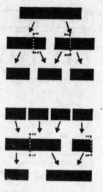

3. Quando si separa un'unità e la si denomina è difficile rendersi conto che è parte di un tutto.

4. Quando si assegna un nome complessivo a un aggregato di unità, può essere difficile rendersi conto che questa è composta di parti.

5. Una volta che sia stata fatta una divisione, è difficile superarla. Se a un certo punto il processo è stato interrotto e ciò che viene prima di quel punto viene chiamato «causa» e ciò che viene dopo viene chiamato «effetto», è difficile fare un ponte attraverso quel punto e chiamare il tutto «cambiamento».

Questo non è affatto un elenco esaustivo. Ciò che esso implica è il seguente fatto: se si sono divise delle unità che si sono poi aggregate in modi diversi che sono a loro volta contraddistinti da etichette, diventa estremamente difficile usare unità e modi differenti per combinarle.

Polarizzazione

È più facile stabilire due modelli completamente diversi che cambiare un modello stabilito. Se un nuovo modello è soltanto lievemente diverso, muoverà verso un modello stabilito. Qui si presenta la tendenza da parte dei modelli fissati di «fare piazza pulita» dei modelli simili che vengono trattati alla stregua di un duplicato del modello standard. Ciò si risolve in una distorsione dell'informazione che di fatto si presenta. Il modello che sarebbe stato stabilito dall'informazione muove verso un modello stabilito. Se ci sono due modelli stabiliti, lo spostamento può essere verso l'uno o verso l'altro. Se i due modelli stabiliti sono dei «poli» opposti in ogni senso, questo spostamento orienta il nuovo modello verso l'uno o l'altro polo.

È come avere due scatole di legno l'una accanto all'altra in cui si ripongono delle palline da ping pong. Le palline devono andare nell'una o nell'altra scatola. Una pallina non starà in equilibrio sul divisorio tra le due scatole. Se i bordi delle scatole sono inclinati, la pallina può spostarsi piuttosto lontano. Il processo è raffigurato da questo diagramma.

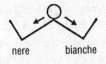

nere   bianche

Una volta applicata a una delle due scatole l'etichetta «palline nere» e all'altra «palline bianche», si getta ciascuna pallina nella scatola giusta a seconda del suo colore, bianco o nero. Se c'è una pallina grigia, occorre prendere una decisione: se debba andare nella scatola nera o in quella bianca. Una volta presa la decisione, le palline vanno nella scatola bianca come se fossero bianche o nella scatola nera come se fossero nere. La natura effettiva della pallina è stata modificata per armonizzarla con il modello stabilito.

Si potrebbe immaginare un'intera serie di scatole, ciascuna dotata della propria etichetta. Al presentarsi di un elemento, lo si sistemerebbe in qualunque scatola che fosse dotata dell'etichetta più appropriata. L'importante non sarebbe che l'etichetta più appropriata non fosse veramente tale. Si attua un movimento che ha per scopo l'adattamento a qualunque etichetta disponibile. Quando lo spostamento è avvenuto è impossibile dire che l'elemento nella scatola presenta una certa differenza rispetto agli altri nella stessa scatola.

Al fine di trovare una scatola appropriata per ogni elemento che non si adatta prontamente a una scatola disponibile si possono fare due cose. Ci si può concentrare su quegli elementi che rappresentano ciò che si dovrebbe far entrare in una scatola, oppure su quelli che rappresentano ciò che *non* si dovrebbe far entrare in una scatola. Quindi nel caso delle palline da ping pong grigie si sarebbe potuto dire: «Il grigio è piuttosto bianco, quindi si adatta alla scatola bianca» ma si sarebbe anche potuto dire: «Il nero è assenza reale di qualsiasi colore, quindi la pallina grigia non può andare nella scatola nera».

Se due cose sono simili, si potrebbero osservare gli elementi di similarità affermando che le due cose sono le stesse oppure si potrebbero osservare gli elementi di differenza asserendo che le due cose sono diverse. Le due cose sarebbero spostate insieme per la loro somiglianza o spostate separatamente per la loro differenza. In entrambi i casi si verificherebbe uno spostamento come si vede nel diagramma.

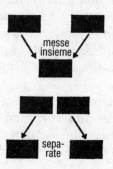

Analogamente, quando c'è una determinata etichetta un nuovo elemento viene posto direttamente sotto di essa oppure allontanato. In una comunità aspramente divisa fra «noi» e «loro» qualsiasi straniero viene giudicato in quanto «uno dei nostri» o «uno dei loro».

Probabilmente lo straniero possiede un miscuglio di caratteristiche che lo renderebbe adatto a entrambi i gruppi. Ma quale che sia la decisione presa, si presume che le sue caratteristiche siano cambiate in modo tale da armonizzarsi perfettamente con quelle dell'etichetta. Lo straniero viene sospinto verso l'uno o l'altro polo. Non può restare nel mezzo, non più di quanto l'ago della bussola può restare indeciso quando gli si avvicina una calamita.

Da un punto di vista pratico questo sistema polarizzante è molto efficace. Significa che si possono stabilire poche categorie essenziali per poi far rientrare ogni cosa nell'una o nell'altra. Anziché dover valutare ogni elemento nei particolari per poi decidere come si reagirà, semplicemente si valuta se un elemento rientra in una categoria o in un'altra. E non si tratta neppure dell'esatta pertinenza dell'elemento bensì della sua assegnazione, da una parte o dall'altra. Quando l'elemento è stato introdotto in un categoria, la reazione è semplice poiché le categorie sono stabilite e così pure la reazione a esse.

Indagando una nuova situazione, per esempio, si avrebbero due categorie: «commestibile» e «non commestibile». Questo è sufficiente. Qualsiasi elemento sottoposto a esame può essere fatto rientrare nell'una o nell'altra categoria. Non occorre compiere sottili distinzioni come: «ha un sapore disgustoso ma c'è chi lo trova buono», o «buono da mangiare ma fa venire sete», o ancora «buono di sapore ma venefico», «sconosciuto ma merita l'assaggio».

• *Nuove categorie*

A che punto nasce una nuova categoria? A che punto si decide che l'elemento non s'adatterà a nessuna scatola e se ne creerà una nuova? A che punto si stabilisce che le palline grigie da ping pong dovrebbero andare in una scatola speciale con l'etichetta «grigio»? A che punto si decide che lo straniero non è né «noi» né «loro» ma qualcos'altro?

Il pericolo della polarizzazione sta nel fatto che le cose sono così mutevoli che non si arriva mai a un punto in cui *si rende necessaria la creazione* di una nuova categoria. E non esiste nemmeno alcuna indicazione su quante dovrebbero essere le categorie definite.

Si sopravvive con pochissime categorie.

Si possono quindi così riassumere i pericoli della tendenza alla polarizzazione:

• Una volta fissate, le categorie diventano stabili.

• Le nuove informazioni si modificano in modo da adattarsi a una categoria stabilita. Fatto questo, non esiste alcuna indicazione che ci sia alcunché di differente da qualsiasi altro elemento compreso sotto quella categoria.

• In nessun punto è *essenziale* creare nuove categorie. Si può sopravvivere con pochissime categorie.

• Meno sono le categorie maggiore è il grado di mutamento.

Pensiero laterale

Non v'è alcun dubbio che il sistema di unità dotate di nome sia estremamente efficace. Non v'è alcun dubbio che le proprietà di polarizzazione di questo sistema diano la possibilità di reagire con pochissime informazioni. L'intero sistema di elaborazione dell'informazione che nasce dal meccanismo fondamentale della mente è estremamente utile. Gli svantaggi citati sopra sono minori se confrontati all'utilità del sistema. Ma gli svantaggi esistono davvero, e per di più sono inseparabili dalla natura del sistema. Si usa così il sistema al suo massimo grado di efficacia ma al tempo stesso si commettono degli errori e si cerca di fare qualcosa al proposito.

Il principale limite del sistema di unità denominate è la rigidità delle etichette. Una volta stabilite, le etichette sono immutabili. Le etichette modificano l'informazione in ingresso, non è quest'ultima a modificare le etichette.

L'obiettivo del pensiero laterale è di smembrare i modelli stereotipati e le etichette rigide ne sono degli esempi perfetti. Allo scopo di sfuggire a queste etichette è possibile agire in tre modi:

• Mettere in dubbio le etichette.
• Cercare di farne a meno.
• Stabilire nuove etichette.

• Mettere in dubbio le etichette

Perché uso quest'etichetta?
Cosa significa veramente?
È essenziale?
La uso semplicemente come un utile cliché?
Perché devo accettare l'etichetta usata da altre persone?

Mettere in dubbio un'etichetta significa implicitamente mettere in discussione l'uso di un'etichetta, di una parola, di un nome. Non significa non essere d'accordo con il suo uso o essere in possesso di qualche alternativa migliore. Vuol dire non essere preparati ad accettare l'etichetta stereotipata senza metterla in dubbio.

Non è importante cercare di legittimare l'etichetta in modo da poter continuare a usarla. Si continua in ogni momento a mettere in dubbio l'etichetta anche quando la si usa.

• Cercare di fare a meno delle etichette

Quando alle unità aggregate si attribuiscono un nome o un'etichetta, questi si fissano così facilmente che si tende a dimenticare che cosa c'è sotto l'etichetta. Abolendo l'etichetta si può scoprire cosa c'è sotto, è quindi possibile scoprire gran parte dell'uso che era rimasto nascosto. Si può scoprire che c'è ben poco di importante anche se l'etichetta stessa sembrava esserlo. Si può scoprire che l'etichetta è davvero utile ma che la si deve cambiare per aggiornarla.

Abolendo l'etichetta si elimina la sua stessa utilità di cliché. Quando si scrive o si parla, si cerca di procedere senza il comodo cliché di quell'etichetta, senza l'etichetta stessa. Laddove si giunga a un punto in cui normalmente si userebbe l'etichetta, si deve trovare un modo di farne senza. Ciò comporta la scoperta di un altro modo di considerare le cose, il che, naturalmente, è l'obiettivo del pensiero laterale. Non ha una grande utilità sostituire con qualche espressione l'etichetta ma un certo vantaggio esiste perché l'espressione può interagire con altri elementi, cosa che un'etichetta fissa non può fare.

Un semplice esempio del tentativo di fare a meno di un'etichetta sarebbe la riscrittura di un brano molto personale in cui comparisse in ogni momento il pronome «io». Riscrivendo il testo ed evitando di usare «io», si scoprirebbe che molte cose sarebbero accadute in ogni caso e che il coinvolgimento personale era di gran lunga minore di quanto fosse apparso.

Non è solamente nel discutere una situazione che si cerca di fare a meno di un'etichetta particolare, ma anche nell'esaminarla. Usando l'etichetta «folla» è facile sviluppare una certa linea di pensiero, ma se si deve farne a meno si potrebbe riuscire a considerare la situazione in modo diverso. Si cerca cioè di vedere le cose come sono in realtà e non in termini di etichette.

• *Stabilire nuove etichette*

Può sembrare paradossale che si stabiliscano nuove etichette allo scopo di sfuggirne gli effetti nocivi. Ma lo scopo di fissare una nuova etichetta è proprio quello di sfuggire agli effetti deformanti di quelle vecchie. L'effetto polarizzante tende a spostare l'informazione entro categorie consolidate. Meno sono le categorie e maggiori sono lo spostamento e la distorsione. Istituendo una nuova categoria si può accogliere l'informazione con un grado minore di deformazione. Di conseguenza, si crea una nuova etichetta allo scopo di proteggere l'informazione in arrivo dall'effetto polarizzante di etichette già fissate.

Le etichette consolidate tendono a costituire intorno a sé significati, contesti e linee di sviluppo. Anche se si volesse usare un'idea che andrebbe sotto un'etichetta esistente, sarebbe forse preferibile non collocarvela se si desidera sviluppare l'idea in un modo nuovo. Per esempio, il pensiero laterale coincide davvero con ciò che alcune persone intendono per pensiero creativo. Ma poiché il pensiero creativo è racchiuso in un intero complesso di significati fra i quali l'espressione artistica, il talento, la sensibilità, l'ispirazione ecc., è di gran lunga preferibile definire il pensiero laterale come idea separata se si desidera considerarlo come modo intenzionale di usare l'informazione. Allo stesso modo la parola «patriottismo» è legata ai significati di magniloquenza, dovere, virtù, «il mio paese giusto o sbagliato che sia», tanto che la si deve considerare molto onorevole o molto pericolosa. Se si desidera favorire lo spirito nazionale nei termini di un paese fra gli altri, di cultura individuale e di sviluppo economico, occorre una nuova etichetta.

Pratica

1. Mettere in dubbio le etichette
Si tratta di una tecnica simile a quella del «perché» de-

scritta in un capitolo precedente. Quando si mettono in dubbio un nome, un'etichetta o un concetto, *non si richiede di definire il termine*. Si mette in questione l'uso del termine in quanto tale, non se ne chiede la giustificazione o la spiegazione.

Si prende un articolo da un giornale o da una rivista e lo si legge ad alta voce agli studenti. Se è in numero di copie sufficiente, si può chiedere che lo leggano da soli. La consegna è di individuare certe etichette che sembrano essere usate troppo disinvoltamente. Ciascuna di tali etichette viene sottolineata. Può trattarsi di un'etichetta o di un concetto fondamentali per l'intero argomento o di un'etichetta che viene usata molto spesso. Per esempio, in un articolo sull'amministrazione fra le etichette individuate si potrebbero annoverare «produttività», «redditività», «coordinamento». Ogni studente prepara una lista di tali parole cliché e alla fine le liste vengono confrontate e discusse. La discussione si concentra su come tali etichette siano adoperate con eccessiva disinvoltura. Non è tanto questione della giustezza o erroneità delle etichette, quanto del fatto che è troppo comodo scrivere «redditività» laddove si debba giustificare qualcosa. In un altro articolo le parole cliché potrebbero essere «giustizia», «uguaglianza», «diritti umani». Oltre alla discussione sul perché l'etichetta venga usata troppo disinvoltamente, si discute anche del pericolo che deriva dall'usare le etichette in questa maniera.

2. Etichette e discussione

A due studenti si chiede di discutere un argomento mentre gli altri ascoltano. Alla fine chi non ha preso parte alla discussione esprime le sue osservazioni sull'uso delle etichette durante la discussione stessa. È sufficiente che gli studenti diventino consapevoli del semplice uso delle etichette. Non si tratta di decidere se l'etichetta fosse giustificata né tantomeno di fare commenti sulle tecniche della discussione.

Fra i possibili temi di una siffatta discussione si potrebbero scegliere:

Le donne sono creative quanto gli uomini?

In che misura l'obbedienza è una cosa lodevole?

Si dovrebbero apprendere solamente materie di utilità immediata.

Se non ottieni ciò che vuoi dovresti continuare a provare.

I genitori dovrebbero aiutare i figli nei compiti a casa.

A scuola i bambini dovrebbero vestirsi come vogliono.

Alcune persone sono diverse dalle altre.

3. Abbandonare le etichette

Qui si tratta di vedere come si possa fare a meno di un nome particolare o di un'etichetta o di un concetto. Si abbandona completamente l'etichetta e si riscrive l'articolo senza usarla. È opportuno farlo con articoli di giornale che facciano uso di qualche etichetta particolare. Nel commentare i risultati l'insegnante osserva se l'abbandono dell'etichetta ha fatto sì che la cosa sia considerata in modo diverso o se l'etichetta è stata invece sostituita da un'altra espressione stereotipata.

4. Abbandonare le etichette in discussione

In questo caso si chiede a uno studente di discutere un argomento. Poi si chiede a un altro studente di spiegare ciò che ha detto il primo ma senza far uso di una particolare etichetta impiegata nella discussione. Questo tipo di esperienza si può realizzare mediante un dibattito fra due studenti in cui sia impedito a entrambi di usare qualche etichetta. Si può procedere anche vietando l'uso dell'etichetta a una sola delle parti.

Possibili temi di discussione:

Guerra (con abbandono dell'etichetta «combattere»).

Gara automobilistica (con abbandono di etichette quali «veloce», «rapido» ecc.).

Passeggiata sotto la pioggia (con abbandono dell'etichetta «bagnarsi»).

Scuola (con abbandono dell'etichetta «insegnamento»).

Polizia (con abbandono dell'etichetta «legge»).

5. Riformulazione

Anziché abbandonare un'etichetta concettuale nel corso di una discussione o nella riscrittura di un articolo lo si fa con una singola proposizione. Questa pratica è più semplice del precedente esercizio e può essere molto utile. L'insegnante seleziona una serie di proposizioni che si possono riprendere dai giornali o formulare espressamente. Si leggono ad alta voce o si scrivono alla lavagna. Si sottolinea l'etichetta che va abbandonata. Gli studenti possono anche fare proposte nella classe aperta su come si potrebbe riformulare la proposizione senza quella parola. In alternativa, ciascuno può produrre una versione della proposizione e alla fine si confrontano le diverse versioni. In questo esercizio l'importante è la necessità di conservare il significato nella sua integrità.

Si potrebbe far uso di un tipo di proposizioni simili alle seguenti:

Nei compiti per casa i bambini dovrebbero essere quanto più *ordinati* possibile.

Nell'istruzione tutti hanno diritto a *uguali opportunità*.

In una democrazia il governo è espressione della *volontà* del popolo.

Se un ladro è colto in *flagranza*, può essere messo in prigione.

Il gelato di fragole ha un *gusto* migliore di quello alla vaniglia.

Se fai cadere un *piatto* sul pavimento, si romperà.

In questo tipo di esercizio la difficoltà sta nel fatto che spesso si ottengono semplicemente dei sinonimi. Così, negli esempi sopra citati, si potrebbe sostituire la parola «ordinato» con «accurato» o «preciso». In effetti non si può rifiutare di accettare i sinonimi perché è molto difficile stabilire la linea di demarcazione fra ciò che è un sinonimo genuino e ciò che è un modo diverso di considerare la situazione. Si accettano dunque i sinonimi ma si procede chiedendo ulteriori modi di presentazione degli elementi. Anziché rifiutare i sinonimi si cerca di esaurirli.

6. Titoli

Questo è un esercizio assai simile al precedente. Al posto delle proposizioni si prende dai giornali una serie di titoli. La consegna sta nel riformulare l'intero titolo in modo tale che nessuna parola sia la stessa di prima ma il significato resti il medesimo. È necessario scegliere titoli che non contengano etichette particolari. Per esempio il titolo «Ribofillo vince il Derby» sarebbe difficile da riformulare a meno che non fosse permesso dire «Il favorito trionfa nella classica corsa di Epsom», ma ciò implicherebbe la conoscenza del fatto che Ribofillo è il favorito. A tale proposito occorre concedere qualche licenza.

7. Nuove etichette

Poiché la comunicazione è tanto importante, non si desidera incoraggiare lo sviluppo da parte degli studenti di proprie etichette speciali per le cose. Si può tuttavia tenere una riunione nella classe aperta in cui agli studenti si chiede di avanzare delle idee da loro avvertite come:

A. Classificate impropriamente.

B. Escluse dalle etichette esistenti.

Per esempio, qualcuno può ritenere che un *hovercraft* non sia veramente un aereo o un veicolo bensì qualcosa di speciale. Qualcun altro potrebbe ritenere che la divisione fra «colpevole» e «innocente» sia troppo netta e che dovrebbe esserci spazio per un individuo che sia tecnicamente colpevole ma innocente sotto il profilo delle intenzioni (o tecnicamente innocente ma realmente colpevole).

Forse dovrebbe esserci un'etichetta speciale per qualcosa che non è «brutto» o «bello» anziché doverlo chiamare ordinario; per abbracciare l'espressione «il modo in cui si considera una determinata cosa»; per qualcosa che è adatto in un certo momento ma chiaramente destinato al disastro; per qualcosa che non è completamente dovuto al caso e nemmeno alla colpa individuale bensì a una loro combinazione.

20

LA NUOVA PAROLA «PO»

Comprendere la natura del pensiero laterale e la sua necessità è il primo passo verso la sua utilizzazione; ma comprensione e volontà non sono sufficienti. Le procedure formali suggerite come metodi di applicazione del pensiero laterale sono senza dubbio pratiche ma c'è un gran bisogno di qualcosa di più definito, più semplice e più universale, di qualche strumento per applicare il pensiero laterale proprio come NO è uno strumento per l'applicazione del pensiero logico.

NO e PO

Il concetto di pensiero logico si fonda nella selezione che è determinata dai processi di accettazione e rifiuto. Il rifiuto sta alla base del pensiero logico. Il processo di rifiuto è inglobato nel concetto di negazione. La negazione è una funzione del giudizio. È il mezzo con il quale si rifiutano certe elaborazioni dell'informazione. La negazione viene usata per attuare il giudizio e indicare il rifiuto. Il concetto di negazione è cristallizzato in uno strumento linguistico determinato. Questo strumento linguistico si basa sui termini no, nessuno e non. Quando si apprendono la funzione e l'uso di queste parole si impara a usare il pensiero logico. L'intero concetto di pensiero logico si concentra nell'uso di questo strumento linguistico. Si potrebbe affermare che la logica sia il governo del NO.

Il concetto di pensiero laterale sta invece nella ristrutturazione intuitiva che è determinata dalla rielaborazione dell'informazione. La rielaborazione è la base del pensiero laterale. Rielaborare significa sfuggire ai rigidi modelli stabiliti dall'esperienza. Il processo di rielaborazione è inglobato nel concetto di rilassamento, che è un meccanismo di rielaborazione. È il mezzo con il quale si può evadere dai modelli stabiliti e crearne di nuovi. Il rilassamento consente di elaborare l'informazione in modi diversi da cui possono sorgere nuovi modelli. Il concetto di rilassamento si cristallizza in uno strumento linguistico determinato. Questo strumento linguistico è PO (Provocative Operation). Quando si apprendono la funzione e l'uso di PO si impara a usare il pensiero laterale. L'intero concetto di pensiero laterale si concentra nell'uso di questo strumento linguistico. Si può affermare che il pensiero laterale sia il governo del PO proprio come il pensiero logico è il governo del NO.

PO sta al pensiero laterale come NO sta al pensiero logico. NO è uno strumento di rifiuto. PO è uno strumento di ristrutturazione intuitiva. Il concetto di rilassamento sta alla base del pensiero laterale proprio come quello di negazione sta alla base del pensiero logico. Entrambi i concetti devono cristallizzarsi in strumenti linguistici. È essenziale disporre di tali strumenti a causa della natura passiva del meccanismo della mente. Gli stessi strumenti linguistici sono modelli che interagiscono con altri modelli sulla superficie mnesica autorganizzantesi della mente allo scopo di determinare certi effetti. Tali strumenti sono estremamente utili nel pensiero di ogni individuo e sono essenziali alla comunicazione.

Benché NO e PO funzionino da strumenti linguistici, le operazioni da essi eseguite sono completamente differenti. NO è un dispositivo del giudizio. PO è un dispositivo dell'anti-giudizio. NO opera dentro la struttura della ragione, PO opera fuori di essa. PO può essere usato per produrre elaborazioni dell'informazione che sono sì irragionevoli ma non completamente perché il pensiero laterale funziona in modo diverso da quello verticale. Il pensiero laterale non è irrazionale bensì arazionale. Si dedica alla modellizzazione dell'informazione senza ricorrere al giudizio sui modelli. Il pensiero laterale è prerazionale. PO non è mai un dispositivo del giudizio. È un meccanismo costruttivo, un dispositivo modellizzante. Il processo di modellizzazione può anche comportare demodellizzazioni e rimodellizzazioni.

Nonostante PO sia uno strumento linguistico è al tempo stesso un meccanismo anti-linguistico. Le parole stesse sono sia modelli stereotipati sia il modo in cui essi vengono aggregati. PO procura un'evasione temporanea dalla discreta e ordinata stabilità del linguaggio che riflette i modelli consolidati di un sistema di memoria che si autorganizza. Qui sta la ragione che probabilmente ha impedito alla funzione di PO una completa evoluzione nello sviluppo del linguaggio. PO sorge dalla considerazione del comportamento modellizzante della mente.

La funzione di PO è l'elaborazione dell'informazione volta alla creazione di nuovi modelli e alla ristrutturazione di quelli vecchi.

Queste due funzioni sono soltanto aspetti differenti dello stesso processo, ma per comodità si possono separare.

• Creazione di nuovi modelli.
• Messa in questione di vecchi modelli.

È possibile esprimere queste due funzioni in un altro modo:

• Funzione stimolatrice e tollerante: combina le informazioni in modi nuovi e permette ingiustificate elaborazioni dell'informazione.

• Funzione liberatoria: smembra i vecchi modelli allo scopo di consentire all'informazione prigioniera di ricomporsi in un nuovo modo.

La prima funzione di PO: creare nuove elaborazioni dell'informazione

L'esperienza ordina gli elementi in modelli. Può accadere che gli elementi nell'ambiente siano ordinati in un particolare modello oppure che l'attenzione individui gli elementi in un certo modello. In un caso il modello è derivato dall'ambiente e nell'altro è derivato dalla superficie mnesica della mente che orienta l'attenzione. La prima funzione di PO è quella di creare elaborazioni dell'informazione che non sorgano da queste due fonti. Come NO è usato per indebolire le elaborazioni che si basano sull'esperienza, così PO è usato per generare connessioni che nulla hanno a che vedere con l'esperienza.

Quando le informazioni si sono «stabilizzate» in modelli fissi sulla superficie mnesica,* si possono verificare nuove elaborazioni soltanto se sono direttamente derivate da questi modelli. Sono ammesse solamente queste elaborazioni sperimentali dell'informazione in quanto sono conformi ai modelli di fondo. Qualsiasi altro elemento viene subito respinto. Tuttavia se (in qualche modo) si determinassero diverse elaborazioni dell'informazione e persistessero brevemente, le informazioni passerebbero rapidamente a dar forma a un nuovo modello conforme al modello di fondo o in grado di modificarlo. Questo processo viene illustrato con un diagramma nella pagina seguente. Lo scopo di PO è allora quello di determinare elaborazioni che altrimenti non si verificherebbero o proteggere dal rigetto quelle che altrimenti sarebbero respinte come impossibili. Si possono elencare queste funzioni come segue.

Elaborare l'informazione in un modo che non si verificherebbe mai nel corso normale degli eventi.

Mantenere un'elaborazione dell'informazione senza giudicarla.

Proteggere dal rigetto un'elaborazione dell'informazione che sia già stata giudicata impossibile.

Un'elaborazione dell'informazione di solito viene giudicata non appena si presenta. Il giudizio si risolve in due verdetti: «Questo è ammissibile» o «Questo non è ammissibile». L'elaborazione è affermata o negata. Non c'è via di mezzo. La funzione di PO vuole introdurre una via di mezzo come proposto nel diagramma. PO non è mai un giudizio. Non suscita contese sul verdetto ma sull'applicazione reale del giudizio. PO è un dispositivo anti-giudizio.

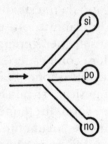

PO permette di mantenere un'elaborazione un po' più a lungo senza doverla affermare o negare. PO differisce il giudizio.

Il vantaggio di differire il giudizio è uno dei princìpi basilari del pensiero laterale ed è uno dei punti fondamentali di differenza rispetto al pensiero verticale. Nel caso del pensiero verticale un'elaborazione dell'informazione deve essere esatta a ogni passo, vale a dire che si deve usare il giudizio alla prima occasione possibile. Nel caso del pensiero laterale un'elaborazione dell'informazione può essere errata in sé ma può condurre a una nuova idea perfettamente valida. Questa possibilità sorge direttamente dal considerare la mente come una superficie mnesica automassimizzante.

Differendo il giudizio e attenendosi a un'idea possono accadere tante cose. Se si persegue un'idea abbastanza a lungo, questa si potrà rivelare significativa. Se si sostiene l'idea, allora le informazioni appena giunte possono interagire con essa fino a produrre un'idea valida. L'idea impregiudicata può orientare la ricerca di informazioni che possono dimostrarsi utili per virtù proprie. Infine, se l'idea viene mantenuta abbastanza a lungo, può mutare anche il contesto a cui non s'adattava.

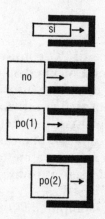

Esattamente le stesse considerazioni si applicano all'uso di PO per la difesa delle elaborazioni dell'informazione che sono già state giudicate e respinte. Tali elaborazioni rifiutate possono essere state respinte molto tempo prima e vale la pena di riportarle in vita sotto la protezione di PO. Oppure le elaborazioni possono essere state proposte e rifiutate solo di recente.

È importante rendersi conto che l'uso di PO per la creazione di nuove elaborazioni dell'informazione è del tutto diverso dall'uso dei comuni dispositivi per elaborare l'informazione.

PO non ha una funzione di somma qual è data da «e».

PO non ha una funzione di identità qual è data da «è».

PO non ha una funzione di alternativa qual è data da «o».

La funzione di PO è di determinare un'elaborazione stimolatrice dell'informazione senza dire assolutamente nulla in proposito. La stessa elaborazione non è importante, lo è invece ciò che accade dopo. Lo scopo delle elaborazioni è di condurre verso nuove idee.

Nella pratica ci sono certe occasioni specifiche in cui l'uso di PO è proficuo.

• Giustapposizione

L'uso più semplice di PO consiste nel tenere insieme due elementi non connessi allo scopo di consentire la loro interazione o quella delle loro associazioni. Fra i due elementi non è implicata alcuna relazione e non esiste nemmeno una ragione qualsiasi per metterli insieme (tranne ciò che potrebbe accadere). Mancando il dispositivo PO non si riuscirebbe facilmente a mettere insieme degli elementi in questo modo senza trovare, proporre o imporre qualche ragione.

Si potrebbe dire «computer PO omelette». Da questa giustapposizione si potrebbe arrivare a un'idea del tipo: cucinare con il computer o con qualche apparecchio automatico programmato. Un'altra idea prevederebbe un archivio centrale di ricette e l'uso di un telefono per comporre ingredienti e requisiti allo scopo di ricevere una ricetta ben equilibrata. Sia le omelette sia i computer riguardano la trasformazione della materia prima in una forma più utilizzabile. In una omelette gli elementi vengono mescolati ma risultano di una forma definita. Così con un certo tipo di computer una combinazione apparentemente casuale di informazioni si risolverebbe tuttavia in qualche *output* definito (come per esempio nel cervello).

• *Introduzione di una parola casuale*

Anziché collegare due parole senza rapporti è possibile impiegare PO per «introdurre» a caso in una discussione una parola estranea allo scopo di dare impulso a nuove idee. Si potrebbe dire: «Signori, sapete tutto sul pensiero laterale e sull'uso dell'input casuale per contribuire a perturbare i modelli stereotipati di pensiero e a stimolare nuove idee. Ora introdurrò una parola casuale. Questa parola non ha assolutamente relazioni con ciò di cui abbiamo discusso. Non c'è ragione alcuna dietro la mia scelta della parola. L'unica ragione per usarla risiede nella speranza che provochi qualche nuova idea. Non crediate che ci sia davvero una ragione nascosta. Non sprecate il vostro tempo a cercare questa ragione. La parola è "uva passa"». In luogo di questo lungo discorso si direbbe semplicemente: «PO uva passa».

Se il problema in discussione fosse «Come usare il tempo di studio», questa parola casuale darebbe il via a una serie di idee del tipo: uva passa - usata per preparare dolci deliziosi - sacchetti di dolci - frammezzare brevi periodi di materie più interessanti in periodi più lunghi di materie meno interessanti - creare piccoli centri di interesse nelle materie meno interessanti.

Uva passa - uva essiccata - dolcezza concentrata - concentrare e compendiare il materiale in modo da riuscire a comprenderlo in un tempo più breve.

Uva passa - esposta al sole a essiccare - forse in un ambiente gradevole è più facile studiare che in uno sgradevole - illuminazione, colore ecc. influiscono sulla noia? Forse il materiale può essere sottoposto allo «sguardo» analitico di qualcun altro allo scopo di ridurlo alla sua essenza.

Uva passa - essiccata per conservarla - osservazioni e compendi più facili da ricordare ma necessità di ricostituire la materia in modo scorrevole (ovvero esempi).

• *Di palo in frasca*

Nel pensiero verticale si procede per passi successivi mentre nel pensiero laterale si salta di palo in frasca e poi si cerca di colmare i vuoti. Se si procedesse in questo modo nel bel mezzo di una discussione basata sul pensiero verticale, chiunque resterebbe molto confuso se cercasse di trovare la logica che conduce a tale salto. Allo scopo di indicare la lateralità della sconnessione dovuta al salto si potrebbe far precedere il commento da PO. Per esempio, nella discussione a proposito del tempo di studio si potrebbe dire «PO il tempo passato a studiare è un tempo passato a non fare altre cose».

Il salto può essere piccolo all'interno dello stesso campo o può essere grande verso un campo estraneo. PO risparmia dal fastidio di dover collegare la nuova osservazione a ciò che è avvenuto in precedenza. Come al solito PO implica «Non cercate una ragione nascosta. Fateci soltanto procedere per vedere l'*effetto* che fa».

• *Dubbio (semi certezza)*

Quando una discussione resta bloccata per l'impossibilità di dimostrare una certa questione, è possibile usare PO per riaprirla. PO non dimostra il punto controverso né lo nega ma permette che lo si usi in modo da sbloccare la discussione. Allora si può vedere che cosa succede. Può essere che non ne derivi alcuna utilità e si prenda coscienza del fatto che il punto originario non era dopo tutto così vitale. Può essere che si riesca a giungere a una soluzione e di qui a trovare un altro modo di tornare al punto di partenza senza dover passare per il punto controverso. Può essere che si riesca solamente a raggiungere la soluzione attraverso il punto controverso e così ci si renda conto di quanto sia vitale quel punto e, di conseguenza, si aumenti lo sforzo per dimostrarlo. Questo uso particolare di PO non differisce molto dall'uso comune di «se» o «supposto che».

• *Essere in errore*

Nel pensiero laterale non è preoccupante essere in errore sulla via di una soluzione perché può essere necessario attraversare una zona di errore al fine di giungere a una posizione da cui il percorso giusto sia visibile. PO è una scorta che consente di attraversare una zona di errore. PO non rende giuste le cose ma sposta l'attenzione dal perché qualcosa è errato al come possa essere proficuo. In effetti PO implica «So che questo è sbagliato ma metterò le cose in questo modo per vedere dove si va a finire».

Esaminando il problema di tenere sgombro da polvere e acqua il parabrezza di un'auto qualcuno suggeriva che si dovesse guidare volti a ritroso poiché era sempre molto più facile veder fuori dal lunotto posteriore che non dal vetro anteriore. In sé ciò è ovviamente privo di senso poiché se si andasse a ritroso quel finestrino finirebbe per essere polveroso quanto il comune parabrezza. Ciò nondimeno la proposta «Perché non guidare volti a ritroso» può condurre ad altre idee del tipo: sistemi indiretti di visione o modi di protezione del parabrezza dall'esposizione al fango e all'acqua.

In quest'esempio PO sarebbe usato nel modo seguente. Qualcuno suggerirebbe di guidare a ritroso e la proposta andrebbe incontro alla risposta «Ciò è privo di senso perché...». La replica sarebbe «PO perché non guidare a ritroso?». Lo scopo di PO sarebbe di differire il giudizio, di conservare l'idea nella mente per pochi momenti allo scopo di vedere che cosa potrebbe saltarne fuori anziché respingerla subito.

• *Funzione di difesa*

Oltre a difendere un'idea che è ovviamente errata, si può usare PO per proteggere un'idea dal giudizio. In questo caso l'idea non è stata già giudicata ma sta per essere sottoposta ad analisi critica. Si usa PO per *rinviare*. Questa funzione di PO è alquanto simile al suo uso per l'introduzione di uno stimolo casuale. Un'osservazione comune o un'idea nel corso di una discussione vengono trasformate dall'uso di PO in un catalizzatore. Impiegato in simili circostanze PO significa: «Non preoccupiamoci di analizzare se questo è giusto o sbagliato, guardiamo solamente verso quali idee ci porterà».

PO potrebbe essere usato dalla persona che ha proposto l'idea o da chiunque altro. Di conseguenza, se si desse avvio a una valutazione dell'idea, qualcuno potrebbe semplicemente interloquire «PO...», che significherebbe «Rinviamo la valutazione per il momento».

• *Costruzione*

Nella geometria scolastica sovente si facilita la soluzione di un problema aggiungendo delle linee addizionali alla figura originaria. Questo procedimento è simile a quello che si incontra nella storia dell'avvocato il cui compito era di dividere undici cavalli fra tre figli in modo che uno di costoro avesse metà dei cavalli, il secondo un quarto e il terzo un sesto. L'avvocato non fece altro che prestare il proprio cavallo ai figli e poi divise i dodici animali assegnando al primo figlio sei cavalli, al secondo tre e al terzo due. Egli poi si riprese indietro il suo cavallo.

Qui PO viene usato per aggiungere qualcosa al problema o per modificarlo in qualche altra maniera. Un siffatto mutamento del problema può condurre a nuove linee di sviluppo, a nuovi modi di considerarlo. Lo scopo di trasformare il problema *non* è quello di riformularlo o di dargli una forma migliore bensì di modificarlo e vedere cosa succede dopo. Per esempio, esaminando l'efficienza della polizia nell'affrontare la criminalità si potrebbe dire «PO perché non impiegare un poliziotto monco?». Cambiando il problema in questo modo con l'aggiunta del fattore «poliziotto monco» concentreremmo l'attenzione sui possibili vantaggi derivanti dall'essere monco e soprattutto sulla necessità di usare il cervello e l'organizzazione più che il potere muscolare.

Sommario

Molti altri sono i modi in cui è possibile fare uso di PO, ma le situazioni elencate sotto sono sufficienti per illustrare la *prima* funzione di PO. La prima funzione è semplicemente quella di concedere a una persona di dire ciò che vuole. PO consente di elaborare l'informazione in un modo qualsiasi. Non c'è affatto bisogno di giustificazioni per tale elaborazione se non di PO.

Po due più due uguale a cinque.

Po l'acqua scorre in salita se è colorata di verde.

Po il pensiero laterale è una perdita di tempo.

Po l'uomo ha un'anima, la donna non ce l'ha.

Po occorre tutta una vita per disimparare ciò che si è appreso nei periodi d'istruzione.

La prima funzione di PO è quella di spostare l'attenzione dal significato di un enunciato e dalla ragione della sua manifestazione all'effetto dell'enunciato stesso. Con PO si guarda avanti anziché indietro. Poiché qualsiasi elaborazione dell'informazione può condurre ad altre elaborazioni, un enunciato può essere molto utile in quanto stimolo nonostante possa essere in sé un nonsenso. E grazie al suo essere un nonsenso è possibile elaborare l'informazione in un modo diverso dai modelli consolidati, aumentando così la possibilità di una ristrutturazione permanente. Nulla di tutto ciò è consentito al pensiero verticale, con il quale si considerano retrospettivamente la ragione di un enunciato, la sua giustificazione, il suo significato.

L'enunciato «Po l'acqua scorre in salita se è colorata di verde» è ridicolo ma potrebbe condurre a un'idea del genere: perché il color verde dovrebbe fare la differenza? Perché l'aggiunta di un colore dovrebbe fare la differenza? C'è qualcosa che si potrebbe aggiungere all'acqua per farla scorrere in salita? In realtà qualcosa esiste: se si aggiunge una piccolissima quantità di una plastica speciale l'acqua si comporta come un solido/liquido a tal punto che se cominciate a versare l'acqua da una brocca e poi tenete la brocca eretta l'acqua continuerà a travasarsi salendo su per il lato interno della brocca, scorrendo sopra l'orlo e giù sul lato esterno.

PO è un dispositivo che consente l'uso delle informazioni in un modo che è completamente diverso dall'uso corrente delle stesse. Si potrebbe far uso delle informazioni in questo modo senza PO, ma si tratterebbe ancora dell'uso della concezione laterale che è inglobata in PO. L'utilità di PO quale meccanismo linguistico reale è data dal fatto che esso indica chiaramente che l'informazione viene utilizzata in questo modo speciale. Senza una tale indicazione si creerebbe confusione poiché l'ascoltatore non saprebbe che cosa è accaduto. Un tipo di enunciato PO senza l'uso di PO, inserito in una comune discussione improntata al pensiero verticale, condurrebbe gli ascoltatori a ritenere che colui che parla sia pazzo, bugiardo, stupido, ignorante o burlone. A parte il disagio di essere il bersaglio di simili giudizi, c'è il pericolo di essere presi sul serio. Per esempio «Po la casa è in fiamme» è alquanto diverso da «La casa è in fiamme». Oltre a ciò, se non si fa uso di PO, l'informazione non viene utilizzata come stimolo in accordo col pensiero laterale.

La seconda funzione di PO:
mettere in questione le elaborazioni dell'informazione

La funzione basilare della mente è quella di creare modelli. La superficie mnesica della mente organizza le informazioni in modelli. O piuttosto permette alle stesse informazioni di organizzarsi in modelli.* L'effetto che si produce è esattamente uguale a quello che la mente individua negli elementi dell'ambiente quando li riunisce per formare dei modelli. Questi modelli, una volta formati, si consolidano ancora di più perché orientano l'attenzione. L'efficacia della mente dipende interamente dalla creazione, dal riconoscimento e dall'uso di modelli. I modelli devono essere permanenti per essere di qualche utilità. Ma non costituiscono necessariamente l'unico modo di combinare le informazioni in essi contenute, e nemmeno il migliore. I modelli sono determinati dal tempo di arrivo delle informazioni o da modelli precedenti che sono stati completamente accettati.

La seconda funzione di PO è quella di mettere in questione questi modelli consolidati. Si usa PO quale dispositivo liberatorio per emanciparsi dalla fissità delle idee stabilite, delle etichette, delle divisioni, delle categorie e delle classificazioni. Il modo in cui PO viene usato si può riassumere nelle seguenti sezioni:
- Mettere in dubbio l'arroganza di modelli stabiliti.
- Mettere in discussione la validità dei modelli stabiliti.
- Smembrare i modelli stabiliti e liberare le informazioni che possono combinarsi fino a formare nuovi modelli.
- Liberare le informazioni intrappolate nelle caselle di etichette e classificazioni.
- Incoraggiare la ricerca di elaborazioni alternative dell'informazione.

• *Mai giudicare*

Come si è detto in precedenza, non si usa mai PO come dispositivo di giudizio. Non si usa mai PO per indicare se un'elaborazione dell'informazione è giusta o errata, se questa è probabile o improbabile o se è al momento la migliore disponibile. PO è un meccanismo per determinare un'elaborazione o una rielaborazione dell'informazione non un dispositivo per giudicare le nuove elaborazioni o condannare le vecchie.

PO implica: «Questo può essere il modo migliore di considerare le cose o di combinare le informazioni. Può anche diventare l'unico. Ma fateci prendere in esame altri modi».

Nell'ambito del pensiero verticale non è permesso mettere in discussione un'idea a meno che non si possa mostrare perché è sbagliata oppure proporre un'alternativa. Se si propone un'alternativa, si deve comunque mostrare la sua validità e perché quest'alternativa è preferibile all'idea originale. Con PO non si fa nulla di tutto ciò. Si mette in discussione l'ordine stabilito senza essere necessariamente in grado di offrire qualcosa al suo posto oppure di mostrare qualche carenza.

Il giudizio di solito esige la legittimazione di un'idea, la legittimazione della ragione per cui un'elaborazione dell'informazione dovrebbe essere accettata. Si vuole sapere perché qualcosa è stato aggregato in un certo modo. Con PO si dà risalto allo spostamento dal «perché» al «verso dove». Si accetta la necessità di rielaborare l'informazione in nuovi modi. Si prende una nuova elaborazione e anziché cercare di vedere da dove proviene e se sia legittimata, si osserva dove conduce, *quale effetto può avere.*

• La risposta a PO

La sfida di PO non si affronta con un'accanita difesa dell'idea stabilita in quanto è davvero il miglior modo possibile di aggregare le cose, perché PO non attacca un'idea. PO è una messa in discussione volta alla ricerca di altri modi di pensiero. La sfida di PO si affronta generando diversi modi di considerare le situazioni. Quanti più modi si possono generare, tanto più chiaramente si può mostrare che l'idea originaria era davvero la migliore e che non c'è alcuna ragione nel rifiuto di cercare di dar origine ad altri modi. Se nel generare queste alternative si scoprisse un modo nuovo e migliore di considerare le cose, allora non si tratterebbe che di una cosa positiva. Anche se la vecchia idea fosse modificata solo lievemente, sarebbe ancora una buona cosa. Anche la possibilità che possa esistere un altro modo di considerare le cose è utile in sé nella misura in cui attenua la rigidità della vecchia idea e ne facilita il cambiamento quando questo matura.

• Mettere in dubbio i modelli stereotipati

Qualsiasi modello che sia proficuo è un cliché. Più è utile più tende a diventare un cliché, e più è un cliché più utile può diventare. Si può impiegare PO per mettere in dubbio qualsiasi cliché. PO non solo mette in dubbio il modo in cui i concetti sono elaborati in modelli ma proprio i concetti stessi. Si è sempre inclini a intendere i cliché come elaborazioni concettuali, se non che i concetti stessi devono essere accettati come mattoni del pensiero con la conseguenza che devono restare inalterati.

«Po libertà» mette in questione il concetto reale di libertà non il valore o lo scopo della libertà.

«Po pena» mette in questione il concetto reale di pena

non le circostanze in cui viene usato o lo scopo per cui viene usato.

Come si è detto precedentemente, sono i concetti utili a dover esser messi maggiormente in questione. I meno utili sono probabilmente sempre sottoposti al dubbio e alla correzione. Ma l'utilità di un concetto utile si erge a sua salvaguardia.

• Focalizzazione

Poiché il cliché può riferirsi a un concetto particolare o a una formula o all'intera idea è utile esplicitare che cosa si mette in discussione con PO. A questo scopo si ripete ciò che si mette in questione ma lo si fa precedere da PO.

«Funzione dell'educazione è l'addestramento della mente e la trasmissione della conoscenza delle varie epoche.»

A questo si potrebbe replicare: «Po, addestramento della mente» o «Po la conoscenza delle varie epoche» o ancora «Po addestramento».

Usato in questo modo PO può comportarsi come un dispositivo di *focalizzazione* per orientare l'attenzione verso qualche concetto che è sempre dato per scontato per il fatto che esistono altri concetti che sembrano più aperti al riesame.

• Alternative

Ci sono momenti in cui è ragionevole cercare di trovare altri modi di considerare una situazione. Ciò accade quando l'approccio comune non è soddisfacente. PO è peraltro utile come richiesta di generare alternative anche quando questa è del tutto *irragionevole*. Si procede generando alternative fino all'assurdo e oltre. Poiché non esiste alcuna valida ragione per generare alternative in queste circostanze, sono necessari gli stimoli artificiosi di PO, che è un meccanismo operante oltre i limiti della ragione.

«È primavera e l'uccello è sulle ali.»

«No. Le ali sono sull'uccello.»

«Po.»

«Capita che l'uccello e l'ala procedano nella stessa direzione.»

Usato in questo modo PO è un invito (o una domanda) a generare elaborazioni alternative dell'informazione. Si usa anche per giustificare quelle elaborazioni alternative chiarendo che sono proposte come tali e non sono necessariamente migliori oppure giustificate.

• Anti-arroganza

Una delle più preziose funzioni di PO sta nel suo essere un dispositivo anti-arroganza. PO è un promemoria del comportamento della superficie mnesica della mente. PO è un promemoria del fatto che un'elaborazione particolare dell'informazione, che sembra inevitabile, può essersi già presentata in una maniera arbitraria. PO è un promemoria del fatto che l'illusione della certezza può essere utile ma non può essere assoluta. PO è un promemoria del fatto che la certezza relativa a una particolare elaborazione dell'informazione non può mai escludere la possibilità che ve ne sia un'altra. PO mette in discussione il dogmatismo e l'assolutismo. PO mette in discussione l'arroganza di qualsiasi enunciato assoluto, di qualsiasi giudizio o punto di vista.

Usato in questo modo PO non implica che l'enunciato sia errato, e nemmeno che la persona che ne fa uso abbia dei dubbi su di esso, per non parlare dei dubbi giustificati. Nel complesso PO implica che l'enunciato viene emesso con un grado di presunzione che non è legittimato in nessuna circostanza.

PO implica quanto segue: «Può darsi che tu sia nel giusto e che la tua logica sia inappuntabile. Tuttavia stai cominciando da percezioni che sono arbitrarie e stai usando concetti altrettanto arbitrari, poiché entrambi sono derivati dalla tua esperienza personale o dall'esperienza generale di una "cultura" particolare. Tieni pure conto dei limiti della mente come sistema di elaborazione dell'informazione. Può darsi che tu sia nel giusto in un particolare contesto o quando fai uso di particolari concetti ma questi non sono assoluti».

Impiegato in questo modo PO non vuole mai insinuare un dubbio tale da rendere inutile un'idea. PO non è mai diretto contro un'idea in sé ma solo contro la presunzione che l'attornia, contro l'esclusione di altre possibilità.

• *Contrapporsi a NO*

NO è un dispositivo utilissimo per il trattamento dell'informazione. È un meccanismo molto determinato e assoluto. NO tende anche a essere un'etichetta permanente. La stabilità dell'etichetta, la sua determinatezza e il suo rifiuto assoluto possono poggiare su prove che erano nel migliore dei casi deboli. Ma quando si applica l'etichetta il suo pieno vigore prende il sopravvento e va perduta la spoglia adeguatezza della ragione dietro la sua applicazione. Può anche accadere che l'etichetta fosse giustificata quando è stata applicata in origine ma che le cose siano cambiate e che essa non abbia più giustificazione. Purtroppo l'etichetta resta finché non viene rimossa, non dura soltanto finché ci sono ragioni per durare. E non è neppure facile esaminare se ci siano ragioni sufficienti per conservare l'etichetta perché non si può sapere se essa sia degna di riesame finché in realtà non lo si compie, e la stessa etichetta NO scoraggia un simile riesame.

Si usa PO per contrapporsi al blocco assoluto causato

dall'etichetta NO. Come di consueto PO non è un giudizio. PO non implica che l'etichetta NO sia scorretta e non insinua nemmeno dubbi circa l'etichetta. In effetti PO implica: «Per il momento copriamo l'etichetta NO e procediamo come se non ci fosse». Man mano che si procede nell'esame, può apparire in tutta evidenza che l'etichetta non sia più giustificata. D'altro canto può diventare ovvio che l'etichetta sia ancora valida come prima, ma comunque le informazioni che sono state nascoste dietro l'etichetta possano essere assai utili altrove.

Si consideri l'enunciato: «Non vivi se il tuo cuore si ferma». Lo si potrebbe trasformare in «Po puoi vivere se il tuo cuore si ferma» e ciò condurrebbe all'esame degli apparecchi per mantenere il cuore pulsante, dei cuori artificiali e dei trapianti, porterebbe anche alla necessità di un nuovo criterio per certificare la morte, poiché si può mantenere il battito cardiaco con mezzi artificiali anche quando il cervello è irrimediabilmente danneggiato.

La storia della scienza è ricca di esempi relativi a situazioni in cui si affermava che qualcosa era impossibile e poi se ne dimostrava la possibilità. Ne sono un esempio le macchine volanti più pesanti dell'aria. Nel 1941 qualcuno dimostrò che per far arrivare un peso di una libbra sulla luna ci sarebbe voluto un razzo del peso di un milione di tonnellate. Alla fine il razzo che ha effettivamente inviato gli uomini sulla luna pesava molto meno.

Qualsiasi uso determinato dell'etichetta NO è un invito all'uso di PO.

• *Anti-divisione*

Nel momento in cui PO viene usato per mettere in dubbio i concetti, esso sfida la divisione che smembra qualcosa in due concetti separati. PO mette in questione non solo i concetti ma anche la divisione che li ha determinati. Tendenzialmente il modello della mente può mettere insieme gli elementi che dovrebbero essere separati e anche separare quelli che dovrebbero essere uniti. Con PO si può sfidare sia una differenza artificiale sia un'identità artificiale.

Se due cose sono separate con una divisione, PO può mettere in discussione la divisione o spostare l'attenzione verso le caratteristiche che le due cose hanno in comune e sono quindi lontane da quei tratti che le separano.

Rigide divisioni, classificazioni, categorie e polarizzazioni hanno tutte una grande utilità ma possono anche costituire dei limiti. Come nel caso del NO, la funzione di PO è quella di togliere temporaneamente le etichette e far sì che le informazioni si ricompongano nuovamente per rivalutarsi. Si estraggono le informazioni dalle caselle e le si fa interagire. È possibile classificare gli elementi mediante una caratteristica o una funzione particolare. Una volta classificata, l'etichetta si consolida e di conseguenza tutte le altre caratteristiche e funzioni tendono a essere dimenticate. Non si pensa di cercare sotto un'etichetta una funzione che non è indicata su quell'etichetta. Se c'è un errore di classificazione in uno schedario sistematico, la perdita è maggiore di quando la classificazione non è stata affatto eseguita.

Una vanga e una scopa sono due cose molto diverse. «Vanga Po scopa» concentra l'attenzione sulle somiglianze: in entrambe una funzione viene eseguita all'estremità di un manico, entrambe possiedono lunghi manici, entrambe possono essere usate con la sinistra o con la destra, possono essere utilizzate per rimuovere il materiale da un luogo, entrambe potrebbero essere usate come arma, per tenere una porta aperta eccetera.

«Artista Po tecnologo.» L'inclinazione prevalente è quella di incasellare le persone e quanto più le caselle sono lontane tanto più sembrano essere utili. Sembrano essere più proficue perché con delle caselle molto lontane predire ciò che farà una persona è più facile di quando le caselle si sovrappongono. «Artista Po tecnologo» mette in discussione il grande iato che si suppone esista fra i due tipi, indica che i due tipi possono entrambi cercare di realizzare la stessa cosa: raggiungere un effetto. L'occorrente può variare ma i metodi possono essere gli stessi: una combinazione di esperienza, informazione, sperimentazione e giudizio. L'enunciato può anche suggerire che oggi un artista deve avere qualcosa del tecnologo se deve far uso dei media più nuovi.

• *Diversione*

PO mette in questione i concetti, la divisione fra concetti e può anche essere usato per mettere in discussione la linea di sviluppo di un concetto. A volte la linea di sviluppo di un'idea è così naturale e così evidente che ci si muove agevolmente lungo questo percorso prima di chiedersi se possa esistere una via alternativa da esplorare. Per impedire tutto ciò, è possibile usare PO quale dispositivo d'arresto temporaneo. PO viene usato come un genere particolare di NO ma privo del giudizio o della sua stabilità. In effetti PO implica: «Questa è la via naturale di sviluppo ma per il momento la bloccheremo allo scopo di rendere possibile l'esplorazione di qualche altra via».

«Un'impresa esiste per fare profitti. I profitti si ottengono grazie a metodi più efficaci di produzione associati a un marketing accurato e al massimo prezzo consentito dal mercato...» Questa è una linea di pensiero naturale e ragionevole. Ma se si dovesse mettere in dubbio «Po fare profitti», si riuscirebbe a indagare altri possibili sviluppi. «Un'impresa ha la funzione sociale di offrire un ambiente in cui le persone possano dare il massimo contributo alla società attraverso la produttività.»

«Un'impresa esiste come un'efficiente unità di produzione. L'obiettivo principale è l'efficienza non il profitto.»

241

«Un'impresa esiste solamente quale stadio evolutivo nell'organizzazione della produzione e la sua unica giustificazione è storica.»

Se se ne fa un uso accorto, PO può deviare il corso del pensiero su nuovi percorsi bloccando i vecchi percorsi in certi punti cruciali. PO è un pretesto per scegliere una linea di pensiero che non sia la più ovvia o la migliore.

• PO ed eccesso di reazione

La funzione generale di PO è di rilassamento, ovvero PO allenta la rigidità di un modo particolare di considerare le cose. In certe situazioni un modo rigido di considerare le cose può condurre a un eccesso di reazione emotiva. In tali casi PO agisce come il riso o il sorriso per allentare la tensione che accompagna un punto di vista rigido. Si ride e si sorride quando un particolare modo di considerare una situazione muta improvvisamente. PO suggerisce la possibilità di un siffatto cambiamento di opinione. Agisce per ridurre la spietata necessità di un punto di vista particolare.

Funzione generale di PO

PO è l'elemento rilassante del linguaggio e del pensiero. È uno strumento di attuazione del pensiero laterale.

PO è un simbolo che attira l'attenzione sul comportamento modellizzante della mente che tende a stabilire modelli rigidi. PO attira l'attenzione sull'esistenza di cliché e modi stabili di considerare le cose. PO attira l'attenzione sulla possibile ristrutturazione intuitiva per ottenere nuovi modelli senza ricorrere a ulteriori informazioni di qualsiasi genere. Anche se PO non viene mai usato se non quale promemoria di queste cose, può tuttavia essere estremamente utile.

Quando lo si usa come strumento linguistico pratico, la funzione di PO è quella di segnalare che si sta facendo uso del pensiero laterale. PO indica che l'elaborazione dell'informazione in corso ha senso da un punto di vista laterale pur non avendone sotto altri aspetti. Senza qualche indicatore definito come PO, ci sarebbe confusione laddove si introducesse il pensiero laterale nel bel mezzo di una comune discussione basata sul pensiero verticale.

PO non è un dispositivo selettivo bensì generativo. PO non è mai un giudizio. PO non esamina mai perché si è prodotta una certa elaborazione dell'informazione, ma guarda in avanti all'effetto che può conseguire. PO non contrasta i giudizi né vi si contrappone ma semplicemente si tiene da parte. PO salvaguarda anche le elaborazioni dell'informazione da ogni giudizio.

PO è essenzialmente uno strumento che permette di usare le informazioni in un modo diverso da quello più ovvio e più ragionevole. PO consente di elaborare le informazioni per le quali non esiste legittimazione ma anche di mettere in discussione le elaborazioni dell'informazione per le quali esiste una piena giustificazione.

PO può sembrare un elemento di disordine destinato a sconvolgere il sistema estremamente utile del pensiero logico, i concetti consolidati e la ricerca dell'evidenza. Ma PO non è un'aberrazione bensì un'evasione. Non distrugge l'utilità di questo sistema ma l'accresce superando la rigidità che è il principale limite del sistema. È una *vacanza* dalle usate convenzioni della logica non un attacco contro di esse. Senza le fondamenta stabilizzanti del pensiero verticale tradizionale PO non sarebbe di grande utilità. Se tutto fosse caotico, non ci sarebbe alcuna rigidità a cui sottrarsi né vi sarebbe alcuna possibilità di fissare un modello più aggiornato che è ciò a cui si dedica l'intuizione. Come strumento PO migliora veramente l'efficacia del pensiero verticale conservandone l'integrità. PO lo fa procurando un mezzo per aggirare il pensiero verticale allo scopo di introdurre un fattore generativo. Quando emerge un nuovo fattore, lo si può sviluppare con tutto il rigore del pensiero verticale e infine giudicare.

Somiglianza di PO con altri termini

Si può ritenere che fra le funzioni di PO alcune siano molto simili a quelle attuate da parole quali ipotesi, possibilità, supposizione e poesia. Esistono alcune funzioni di PO che sono davvero simili, per esempio la funzione di semi-certezza, ma ci sono altre funzioni che sono del tutto diverse, per esempio la giustapposizione di materiale completamente sconnesso. Ipotesi, possibilità e supposizione sono parenti molto alla lontana di PO. Abbracciano elaborazioni dell'informazione che sembrano molto ragionevoli ma che non possono essere dimostrate completamente. Sono congetture tollerabili della migliore elaborazione del momento. Di contro PO consente che le informazioni vengano usate in modi che sono *completamente* irragionevoli. La differenza più rilevante risiede nel fatto che con queste parole le informazioni vengono usate per se stesse anche se il loro uso è provvisorio. Ma con PO le informazioni non vengono usate per se stesse ma per i loro effetti. Forse ciò che è più simile a PO è la poesia dove le parole vengono usate non tanto per il loro significato proprio quanto per il loro effetto stimolante.

Il meccanismo di PO

Perché PO dovrebbe funzionare? PO non potrebbe mai funzionare in un sistema lineare come un computer perché l'elaborazione dell'informazione in un siffatto sistema è sempre la migliore possibile secondo il programma. Ma in un sistema automassimizzante o in un sistema dotato di umorismo l'elaborazione dell'informazione in modelli dipende in notevolissima misura dalla sequenza d'arrivo delle informazioni. Di conseguenza, A seguito da B, seguito da C, seguito da D darebbe un modello diverso da B seguito da D, seguito da A, seguito da C. Ma se A, B, C e D dovessero arrivare tutti insieme, il loro migliore ordinamento sarebbe diverso da entrambe le altre disposizioni. C'è una straordinaria continuità in questo tipo di sistema e ciò significa che è facile fare aggiunte ai modelli o combinarli ma molto difficile ristrutturarli.* Esistono inoltre modelli ereditati che si acquisiscono belli e pronti dalle altre menti.

A causa di questa tendenza a fissare modelli e del loro farsi sempre più rigidi occorre un mezzo per smembrali allo scopo di rielaborare l'informazione in modi nuovi. Tale mezzo è PO in quanto strumento del pensiero laterale. PO è necessario a causa del comportamento del sistema di memoria automassimizzante e funziona grazie alla natura di detto sistema. Nel quadro di un siffatto sistema deve formarsi qualche sorta di modello. Se il vecchio modello è sufficientemente scombinato, si forma un nuovo modello e si ha il processo di ristrutturazione intuitiva.

PO viene usato per smembrare modelli, per spostare modelli. PO viene usato quale catalizzatore per mettere insieme le informazioni in un certo modo. Da quel momento in avanti è il naturale comportamento della mente che costruisce rapidamente il nuovo modello. Senza un simile comportamento PO sarebbe inutile.

Più è grande il cambiamento rispetto al vecchio modello e più è probabile che si formi un nuovo modello. Elaborazioni «ragionevoli» delle informazioni sono troppo profondamente simili alle vecchie per produrre nuovi modelli. Ecco perché PO funziona oltre i limiti della ragione. PO non si occupa tanto della ragione per cui si usano le informazioni in un certo modo quanto dell'effetto che avranno. Quando il nuovo modello è venuto alla ribalta, si deve naturalmente giudicarlo nel modo consueto.

Quando si svuota un secchio mediante un sifone, si deve anzitutto aspirare l'acqua verso l'alto nel tubo. Si tratta di una direzione innaturale per l'acqua. Quando l'acqua ha raggiunto una certa posizione, si forma un sifone e l'acqua continua a fluire naturalmente fuori dal secchio fino a svuotarlo. Allo stesso modo un uso innaturale delle informazioni può essere necessario per provocare una rielaborazione che sia essa stessa perfettamente naturale.

Uso grammaticale di PO

Si può usare PO in qualsiasi modo che appaia naturale. Il punto più importante è che qualsiasi cosa contemplata da PO dovrebbe essere chiaramente vista come tale. Le due funzioni principali di PO sono in primo luogo la difesa di un'elaborazione dell'informazione dal giudizio e l'indicazione del suo uso provocatorio e, in secondo luogo, la messa in discussione di una particolare elaborazione dell'informazione come un'idea, un concetto o un modo di presentare le cose. Nel secondo caso il materiale messo in discussione verrebbe replicato e a esso si aggiungerebbe PO. Nell'altro caso PO abbraccerebbe il nuovo materiale.

1. PO come esclamazione

In questo caso PO verrebbe usato da solo quale replica oppure quale interruzione nello stesso modo in cui viene usato NO. Implicherebbe la messa in discussione di un particolare modo di considerare le cose.

Per esempio «Lo scopo dello sport è quello di incoraggiare lo spirito competitivo e la volontà di vittoria».

«Po!»

2. PO come premessa

In questo caso PO viene usato prima di una proposizione o di un'espressione o di una parola che si intende qualificare. La qualificazione può assumere la forma di una messa in discussione oppure dell'introduzione di materiale stimolatore.

Per esempio «Un'organizzazione può funzionare in modo efficiente solamente se tutti i suoi membri mostrano assoluta obbedienza».

«Po funziona in modo efficiente».

3. PO come giustapposizione

Quando due parole appariranno giustapposte senza alcuna ragione, si fa uso di PO per indicare questa relazione. Quando si introduce nella discussione una parola scelta a caso è implicito questo identico uso di PO.

Per esempio «Viaggio po inchiostro»,

o «Po canguri».

4. PO nella stessa posizione di NO, NESSUNO o NON.

PO può essere usato in qualsiasi posizione in cui si potrebbe usare NO, NESSUNO o NON. In una tale posizione PO qualificherebbe le stesse cose come le qualificherebbero NO, NESSUNO o NON.

Per esempio «Mercoledì Po è una vacanza».

Nella pratica, è probabilmente preferibile cercare di usare PO sempre all'inizio di una proposizione o di un'espressione o proprio davanti alla parola che si deve qualificare. PO non deve essere scritto in lettere maiuscole, ma finché non ci si abitua a usarlo bene, le maiuscole sono preferibili. Se qualcuno usa PO e altri non ne capiscono l'impiego, si può arrivare alla più semplice spiegazione nel modo seguente:

1. Funzione di messa in dubbio

PO significa che puoi benissimo essere nel giusto ma tentiamo di considerare la cosa in un altro modo.

2. Funzione di stimolo

PO significa che dico esattamente questo per vedere che cosa esso produce nella tua mente, per vedere se questo modo di presentare le cose può stimolare qualche nuova idea.

3. Funzione anti-arroganza

PO significa non essere arroganti e dogmatici. Non avere una mente tanto ristretta.

4. Eccesso di reazione

PO semplicemente significa calma. È inutile agitarsi.

Pratica

PO è lo strumento linguistico del pensiero laterale. Concetto e funzione del pensiero laterale si cristallizzano nell'uso di PO. Se si diventa abili nell'uso di PO, allora si è abili nell'uso del pensiero laterale. Per questa ragione la pratica nell'uso di PO è estremamente importante. Imparare a usare PO è come imparare a usare NO, ma l'apprendimento dell'uso di NO è un processo graduale che dura parecchi anni. Nel caso di PO si cerca di raggiungere lo stesso risultato in un tempo più breve. È di gran lunga preferibile procedere lentamente e con cura anziché correre in avanti e insegnare solamente un uso limitato o persino scorretto di PO.

Nell'insegnare l'uso di PO è preferibile suggerire il concetto generale anziché definire rigidamente le situazioni in cui lo si può usare. Nondimeno occorre mostrare l'uso pratico di PO nel linguaggio e non solamente la teoria che lo sostiene.

Poiché PO è lo strumento del pensiero laterale si potrebbe riutilizzare qualsiasi delle precedenti lezioni dedicate alla pratica con PO quale strumento operativo. Ma è molto più utile escogitare delle situazioni speciali che indichino la funzione di PO più specificamente.

In questo capitolo sono stati elencati diversi aspetti della funzione di PO. Tali aspetti si possono citare nel corso della spiegazione della natura di PO e, se se ne fa menzione, si possono proporre o richiedere ulteriori esempi. Per la lezione pratica effettiva è preferibile raggruppare le funzioni di PO in pochi usi generali anziché generare confusione con i dettagli di ciascun uso particolare.

La funzione di PO comporta due aspetti basilari:

- L'uso di PO.
- La risposta a PO.

La risposta a PO

È di gran lunga preferibile venire a conoscenza della risposta a PO *prima* dell'uso di PO. La ragione di questo ordine apparentemente paradossale risiede nel fatto che imparando come reagire a PO si imparano veramente le ragioni del suo uso. Oltre a ciò, apprendendo innanzi tutto la reazione, è possibile praticare l'uso di PO in un modo più realistico poiché non verrà semplicemente utilizzato, gli sarà anche data risposta.

Le questioni relative alla reazione a PO sono le seguenti:

1. PO non è mai un giudizio. Ciò significa che quando viene usato per mettere in discussione qualcosa che avete detto, non implica disaccordo e nemmeno dubbio. PO *non si trova mai* collegato a una difesa di quanto è stato detto, e nemmeno a un esasperato «In quale altro modo si potrebbe presentarlo; come lo presenteresti *tu*?». Inoltre PO non vuol dire che la persona che lo usa sia in possesso di un'alternativa migliore oppure di un'alternativa *tout court*. PO implica: «Senza essere in disaccordo con quanto hai detto, proviamo – tutti e due – a combinare le cose in un modo diverso. Non si tratta di combatterci, tu contro di me, bensì di una ricerca congiunta di una strutturazione alternativa».

È importante sottolineare questo aspetto di *ricerca congiunta*. È importante mettere l'accento sul fatto che PO non è un atteggiamento di contraddizione di un argomento. Di conseguenza, si reagisce a PO cercando di generare alternative *non* con l'irritazione o con la difesa del modo originario di presentare le cose.

2. PO può comportare l'uso provocatorio delle informazioni. Ciò significa che le informazioni possono essere combinate in un modo fantastico e completamente legittimo, già implicato da PO. Reagendo a questo uso di PO, non si discute del fatto che l'elaborazione dell'informazione sia inaccettabile. Non ci si domanda la ragione per cui si mettono insieme le cose in questo modo, né tantomeno si resta inattivi insinuando «Benissimo, se vuoi mettere le cose così vai avanti e dimostra che può essere utile». L'uso provocatorio di PO consiste nel procurare uno stimolo che entrambe le parti devono utilizzare congiuntamente, il che comporta: «Se usiamo questa elaborazione dell'informazione come uno stimolo, che cosa possiamo offrire entrambi?». La risposta all'uso provocatorio di PO non è dunque né di condanna né di indifferenza bensì di cooperazione attiva.

3. Si può usare PO come difesa. Ciò significa che PO può essere impiegato per astenersi da giudizi o per ignorare temporaneamente un giudizio che abbia avuto per risultato un rifiuto. La risposta a questo uso di PO *non è mostrare che il giudizio è necessario e dovrebbe essere attuato subito*. E la risposta non è neppure di esasperazione: «Se non vuoi accettare gli usi comuni di giusto e sbagliato come potremmo mai procedere?». Né tantomeno vale la suprema indifferenza «Se vuoi dire che il nero è bianco e vuoi trastullarti con quest'idea per un po' aspetterò fino a che avrai smesso». Come prima, la reazione appropriata è un'indagine congiunta sulla nuova situazione.

4. PO può essere un rilassamento. Ciò significa che quando una situazione è diventata tesa a causa dello sviluppo di rigidi punti di vista e possibili eccessi di reazione, si

consiglia PO come fosse un sorriso per allentare la tensione e attenuare la rigidità dei punti di vista. In questo caso l'unica reazione appropriata consiste nel rispondere con PO (con una scrollata di spalle mentale e un sorriso) e nell'attenuare la rigidità della situazione.

5. Si può usare PO ambiguamente. Ci sono momenti in cui non è chiaro come venga usato o quale concetto venga messo in discussione. In casi simili si chiede alla persona che usa PO di scendere nei particolari o di precisare che vuole usare PO veramente in un modo generale.

Insomma, si può dire che l'aspetto più importante della risposta a PO consista nel rendersi conto che non è diretto contro qualcosa ma è una proposta di tentativi congiunti per la ristrutturazione di una situazione. È possibile mettere in atto uno stato di competitività usando PO più efficacemente della persona che l'ha proposto: vale a dire che si procede alla generazione di un numero maggiore di alternative. PO può essere un invito a gareggiare ma mai un invito a scontrarsi.

L'uso di PO

Per comodità, i diversi usi di PO si possono dividere in tre vaste classi:

1. La generazione di alternative. Anti-arroganza. Rilassamento. Riesame di un concetto. Ripensamento. Ristrutturazione. Espressione di consapevolezza circa la possibilità di cliché o di un punto di vista rigido.

2. Stimolazione. L'uso di elaborazioni dell'informazione quali stimoli. Giustapposizioni. Introduzione di parole scelte a caso. Abolizione delle divisioni concettuali. Uso di fantasia e nonsense.

3. Difesa e soccorso. Astensione dal giudizio. Rovesciamento temporaneo del giudizio. Rimozione dell'etichetta NO.

La generazione di alternative

Si usa PO per richiamare l'attenzione sul fatto che un modo particolare di considerare una situazione non è altro che una opinione fra le tante. Si usa PO per mettere in risalto il fatto che un particolare punto di vista sembra essere mantenuto con arroganza ingiustificata. Il primo livello è semplicemente quello di suggerire la possibile esistenza di altri modi di considerare la situazione. Ciò è particolarmente vero quando si usa PO come dispositivo anti-arroganza.

Il livello successivo è quello di invitare alla ristrutturazione della situazione. In questo caso si richiedono alternative e si procede in prima persona per procurarle.

Si può applicare PO a un'idea globale, a un'intera proposizione, a un'espressione, a un concetto oppure solamente a una parola.

Pratica

1. L'insegnante chiede a uno studente (a uno studente particolare o a un volontario) di parlare su qualche argomento. L'argomento potrebbe essere qualcosa di simile a quanto segue:

Quale utilità hanno i viaggi spaziali?

Ogni intervento medico dovrebbe essere gratuito?

Le strade rettilinee sono migliori di quelle a curve?

Nel corso della chiacchierata dello studente l'insegnante lo interrompe con PO. L'interruzione ripete parte di quanto lo studente ha detto premettendovi PO. In questa fase non si pretende che lo studente risponda a PO. Questo gli viene spiegato ed egli fa semplicemente una pausa mentre l'insegnante lo interrompe e poi procede oltre.

2. L'insegnante conversa su un certo tema e questa volta gli studenti vengono invitati a interrompere con PO allo

stesso modo in cui l'insegnante aveva fatto nella precedente lezione pratica. Fra i temi di discussione si potrebbero elencare:

È utile la presenza di lingue differenti?

Funzionano meglio le grandi organizzazioni o le piccole?

Era più facile lavorare da soli o in gruppo?

Ogni volta che uno studente interrompe con PO l'insegnante risponde generando modi alternativi di presentazione delle cose e gli studenti vengono incoraggiati a fare lo stesso. Per esempio, una discussione potrebbe avere il seguente andamento:

INSEGNANTE: Le diverse lingue sono utili perché consentono lo sviluppo di differenti culture e quindi offrono maggiori motivi di interesse.

STUDENTE: PO offrono maggiori motivi di interesse.

INSEGNANTE: Varietà di culture significa modi diversi di considerare la vita, costumi e comportamenti diversi, manifestazioni artistiche diverse. Tutti questi sono elementi di cui si può avere notizia, su cui è possibile informarsi e che si possono confrontare l'uno con l'altro. Nuovi modelli da indagare. Qualcosa da fare.

STUDENTE: Modi diversi di esprimere la stessa cosa: potrebbero essere utili, oppure una perdita di tempo.

INSEGNANTE: A causa della diversità delle lingue la comunicazione è povera e così emergono i tratti distintivi anziché una generale uniformità.

STUDENTE: PO la comunicazione è povera.

INSEGNANTE: La gente non può parlare facilmente con persone di altra lingua o leggerne i libri. Le persone non possono influenzarsi profondamente a vicenda.

STUDENTE: Le persone non possono influenzarsi a vicenda. Potrebbe essere un male perché da una tale interazione potrebbe derivare una migliore comprensione.

INSEGNANTE: PO comprensione.

STUDENTE: Le persone dovrebbero sapere ciò che intendono gli altri, che cosa fanno, cosa vogliono, quali siano i loro valori.

3. È assolutamente probabile che una discussione di questo genere si trasformi rapidamente in un dibattito a due voci. Se così non fosse, l'insegnante può volontariamente organizzare una discussione a mo' di disputa fra due studenti. A ciascuno è consentito l'uso di PO. L'insegnante stesso può interrompere con PO ma non gli è concesso di prendere parte alla discussione in altro modo.

Commento

In questo tipo di discussione può risultare evidente come PO venga usato principalmente quale dispositivo di messa a fuoco per indicare: «spiega cosa intendi con...» o «definisci questo...» o ancora «elabora quel punto...». Se si presentasse il caso, l'insegnante dovrebbe mettere in evidenza che la funzione di PO è quella di cercare una ristrutturazione, dei modi *alternativi* di presentare le cose. Quando in seguito verrà usato PO, l'insegnante chiederà una pausa e quindi inviterà l'intera classe a elencare i diversi modi di presentare qualunque elemento sia stato qualificato con PO. Per esempio, il «Po comprensione» sopra menzionato potrebbe corrispondere alle seguenti espressioni:

Supporre che l'altro reagisca al tuo stesso modo.

Le cose hanno lo stesso significato per l'altro e per te.

Diminuire la possibilità di incomprensioni.

Assolutamente simpatico.

Comunicazione senza interpreti o intermediari.

Capacità di ascoltare e rispondere.

Nessuna di queste espressioni è una definizione completa o molto buona di «comprensione», ma si tratta di modi diversi di presentare le cose. Forse il migliore è «diminuire la possibilità di incomprensioni». Ciò potrebbe sembrare una tautologia ma da un punto di vista dell'informazione svela molte cose.

4. Interpretazione di una fotografia. È del tutto simile all'interpretazione di illustrazioni che abbiamo incontrato in un capitolo precedente. Si toglie la didascalia da una foto e si chiede a uno studente (o ad alcuni studenti se ci sono abbastanza copie della foto o altri mezzi per farla vedere a tutti) di interpretarla. Costui offre un'interpretazione e l'insegnante replica «Po», vale a dire semplicemente «Molto bene. Va avanti. Genera un'altra alternativa. Cosa potrebbe significare?».

Questo è un uso molto semplice di PO, ma è utile praticarlo poiché indica l'uso di PO in una maniera molto più chiara di quanto non facciano altre situazioni.

Stimolazione

Questo secondo uso di PO suggerisce semplicemente che l'elaborazione delle informazioni non ha alcuna giustificazione tranne la possibilità grazie alla quale potrebbe individuare nuove linee di pensiero. Una siffatta elaborazione dell'informazione può essere fantastica o ragionevole a piacimento. Essa non viene esaminata in sé ma solamente nei termini di ciò che mette in risalto.

5. Giustapposizione. Questa è la più semplice elaborazione stimolatrice di informazioni. Si accoppiano due parole inframmezzate da PO per indicare perché vengono messe insieme. Si presentano alla classe le coppie di parole una alla volta. La lezione può essere condotta in una classe aperta con studenti che propongono spontaneamente dei suggerimenti che vengono elencati dall'insegnante sulla lavagna oppure da qualche studente al quale sia stato chiesto di prendere nota. In alternativa gli studenti possono elencare le proprie idee e alla fine queste vengono raccolte e confrontate.

Fra le possibili coppie di parole si potrebbero presentare le seguenti:

Gelato po luce elettrica.

Cavallo po bruco.

Libro po poliziotto.

Pioggia po mercoledì.

Stelle po gioco del calcio.

Stelle po decisione.

Scarpa po cibo.

Agli studenti non viene chiesto specificamente di mettere in relazione le due parole o di trovarvi qualche collegamento o ancora di mostrare che cosa hanno in comune. Quale che sia il genere di idee che nascono, lo si accetta. Non si tratta tanto di orientare il tipo di idee che gli studenti dovrebbero avere. Se leggendo i risultati non si riesce a vedere la connessione, si chiede come sia accaduto, si chiedono gli elementi mancanti. Non ci si preoccupa di quale idea si tratti, bensì si vuole sapere come si sia presentata.

6. Parola casuale. Questa tecnica è stata discussa in un capitolo precedente e consiste nel sottoporre all'esame di un soggetto una parola che non ha alcun collegamento con il tema. L'idea è di vedere che cosa metta in moto la parola casuale. Un modo alternativo di procedere sarebbe quello di prendere qualche parola che si sia mostrata vitale nella discussione e giustapporla con una parola casuale mediante PO.

Fra i possibili argomenti di discussione si potrebbero includere i seguenti:

Vantaggi del risparmio rispetto alla spesa.

Vantaggi dell'attacco rispetto alla difesa nello sport.

Sapere dove trovare le informazioni.

Perché iniziano le battaglie?

La gente dovrebbe fare esattamente ciò che fa?

La progettazione di scarpe.

Fra le possibili parole casuali si potrebbero includere le seguenti:

Lenza.

Biglietto dell'autobus.

Clacson d'automobile.

Portauovo.

7. Ricongiunzione di concetti. Si può usare PO per rimettere insieme elementi che sono stati divisi in concetti separati. Si può usare PO per togliere etichette e trarre informazioni da incasellamenti. Allo scopo di mandare a buon fine questa funzione di PO si prendono i concetti che sono stati creati da una divisione (o che sono sorti l'uno dall'altro per implicazione) e li si connette mediante PO. Si presentano alla classe tali coppie di concetti alla stessa maniera in cui sono state presentate le giustapposizioni e si esaminano e confrontano le idee che nascono da questa presentazione. In questo caso è preferibile che gli studenti elenchino individualmente le proprie idee in modo che possano apprezzare l'utilità della procedura quando alla fine verranno lette ad alta voce.

Fra i possibili esempi si potrebbero includere:

Militari po civili.

Flessibile po rigido.

Attaccante po difensore.

Ordine po caos.

Liquido po solido.

Insegnante po studente.

Su po giù.

Giorno po notte.

Nord po Sud.

Giusto po sbagliato.

Maschio po femmina.

8. Oltre a reagire alla giustapposizione e alle coppie di concetti loro proposti, gli studenti vengono interpellati per generare le proprie giustapposizioni e coppie di concetti. Si raccolgono i suggerimenti su foglietti di carta e una scelta di questi viene restituita agli studenti affinché rispondano. Il semplice esercizio consistente nel generare tali giustapposizioni e coppie di concetti *è esso stesso* molto utile per chiarire quest'uso particolare di PO.

Difesa e soccorso

Questa funzione di PO viene usata per differire il giudizio. In effetti lo scopo è differire il rifiuto giacché è questo l'unico genere di giudizio che non farebbe prendere in considerazione un'idea. Si può usare PO per difendere un'idea prima che venga giudicata o se ne può fare uso per sottoporre a nuovo esame un'idea che è già stata giudicata e respinta. In pratica PO è attratto dall'etichetta NO. L'uso dell'etichetta NO sta a indicare direttamente il comune quadro di riferimento a fronte del quale deve esprimersi ogni giudizio. Ignorando temporaneamente con PO il rigetto, si riesamina effettivamente lo stesso quadro di riferimento.

9. Prende avvio una discussione fra due studenti o tra un insegnante e uno studente. La discussione continua finché l'uno o l'altro usano la negazione NO. A quel punto si usa PO per ignorare la negazione e l'enunciato respinto viene considerato in se stesso per vedere a quale idea possa dare avvio.

Fra i possibili temi di discussione si potrebbero includere i seguenti:

Si dovrebbe incoraggiare la gente a vivere in campagna oppure in città?

Lo stato assistenziale invoglia la gente alla pigrizia?

La mutevolezza della moda nell'abbigliamento è un bene?

Cosa si dovrebbe fare da soli e quanto si dovrebbero pagare le altre persone perché operino per nostro conto?

Le lezioni in classe sono troppo lunghe?

Una discussione potrebbe svolgersi nel modo seguente:

INSEGNANTE: Si dovrebbe incoraggiare la gente a vivere in campagna perché le città non sono salubri.

STUDENTE: Le città non sono salubri. PO le città sono salubri. Le città potrebbero essere salubri con una migliore pianificazione urbanistica e un migliore controllo del traffico. Forse le città potrebbero essere mentalmente più salubri grazie a una maggiore interazione sociale.

INSEGNANTE: Le città disporrebbero di migliori servizi sanitari in ragione della maggiore centralizzazione e della migliore comunicazione.

10. Si sceglie un tema e agli studenti si chiede di pensare a tutte le cose negative che se ne possono dire. Queste vengono elencate e alcune di esse vengono poi riesaminate usando PO. È assolutamente ovvio che il numero di cose negative che si possono dire su qualcosa è infinito. Per esempio su una mela si potrebbe dire: «Non è nera. Non è color porpora. Non è color malva ecc. Non è un'arancia. Non è un pomodoro ecc.». In pratica, si ignora semplicemente quel tipo di elenco o se ne selezionano certe voci. Per esempio, «Una mela non è un pomodoro» potrebbe condurre alla seguente idea: «In alcune lingue la parola pomodoro è derivata da mela, per esempio in italiano. In Svezia la parola con cui si designa un'arancia è derivata dalla parola con cui si designa una mela». Per evitare questo genere di cose, probabilmente è preferibile occuparsi di concetti astratti o di funzioni anziché di oggetti.

Fra i possibili argomenti si potrebbero includere i seguenti:

Lavoro.

Libertà.

Dovere.

Verità.

Obbedienza.

Noia.

Commento generale sull'uso di PO

Dopo le prime lezioni pratiche, in cui l'uso di PO è ovviamente eccessivo e artificiale, si passa all'uso più naturale di PO nelle sessioni ordinarie di discussione. Spetta all'insegnante usare PO di tanto in tanto per indicare come dovrebbe essere usato. L'altro punto importante riguarda il controllo di come gli studenti reagiscono a PO quando viene usato sia da altri studenti sia dall'insegnante stesso. Una reazione inappropriata a PO indica che la sua funzione non è stata compresa. È più importante mettere in rilievo la *reazione* corretta a PO anziché il suo *uso* corretto. Chi sa come reagire appropriatamente a PO saprà anche come usarlo in maniera adeguata.

L'uso unilaterale di PO

PO è un mezzo utile sia per pensare e reagire in proprio sia per comunicare con altre persone. In realtà, è probabile che sia più utile quando ci consente di usare il pensiero laterale individualmente anziché nelle occasioni di discussioni di gruppo. Quest'uso *privato* di PO evidentemente non dipende dalla comprensione della sua funzione da parte degli altri. Ma nella comunicazione può accadere che una persona usi PO e l'interlocutore non abbia idea del suo significato. In tal caso non si deve desistere dall'uso ma spiegarne il significato. All'inizio di questo capitolo sono stati descritti alcuni semplici modi per spiegare il significato di PO. In caso di difficoltà, si potrebbe sempre dire che si è trattato di una forma di «supposizione».

Sommario

PO è uno strumento linguistico con cui mettere in pratica il pensiero laterale. PO è uno strumento dell'intuizione poiché permette di usare le informazioni in modo da favorire l'evasione dai modelli stabiliti e la ristrutturazione intuitiva di nuovi modelli. PO svolge una funzione speciale che è altrimenti impossibile svolgere adeguatamente nel linguaggio. Altri modi di attuare questa funzione sono scomodi, deboli e inefficaci. Quanto maggiori sono l'abilità e la pratica nell'uso di PO tanto maggiore è la sua efficacia. Non è il linguaggio a rendere necessario PO bensì il meccanismo della mente.

21

BLOCCO DA APERTURA MENTALE

Conoscevo benissimo la città ma dovevo chiedere informazioni su come raggiungere quel certo ristorante. Le istruzioni erano facili da seguire poiché il percorso era costituito da tre segmenti dotati di chiari punti di riferimento, ciascuno dei quali mi era familiare. I tratti di strada mi erano divenuti familiari guidando per la città. Un giorno alcuni amici partirono per il ristorante dallo stesso posto e alla stessa ora in cui partii io, ma arrivarono molto prima di me. Chiesi loro se fossero andati veloci ma negarono. Allora chiesi quale percorso avessero seguito. Essi diedero delle spiegazioni e apparve chiaro che avevano preso una scorciatoia come si vede qui sotto.

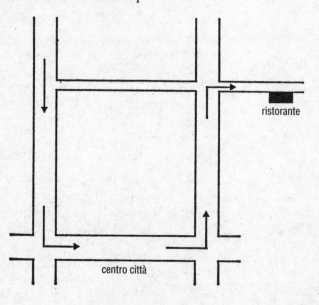

Una piccola svolta laterale li aveva condotti direttamente al ristorante mentre io compivo un'inutile deviazione attraverso il centro della città. Il mio itinerario mi era sempre parso soddisfacente e così non ne avevo mai cercato di più brevi. E neppure avevo mai avuto consapevolezza dell'esistenza di un percorso più breve. Tutte le volte avevo condotto l'auto oltre la piccola svolta laterale, ma non l'avevo mai esplorata perché non ce n'era ragione. E senza esplorarla non avrei mai potuto scoprire quanto fosse utile. Le mie istruzioni originarie erano espresse in termini di ampi tratti ben noti di strada, tratti stereotipati, perché questo è il modo più facile di dare indicazioni. Non c'era mai stata alcuna ragione per distaccarsi da questi segmenti stereotipati. Tre sono i modi in cui il pensiero può essere bloccato, come illustrato dal diagramma qui sotto.

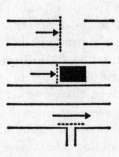

1. Si è bloccati da un'interruzione. Non si riesce a procedere oltre perché la strada finisce. Occorre trovare altre strade o costruire un ponte sopra il fiume. Ciò equivale a darsi da fare a cercare altre informazioni o doverne produrre qualcuna sperimentalmente.

2. Si è bloccati dalla presenza di qualcosa sulla strada. In questo caso c'è un ostacolo definito che impedisce l'avan-

zata. Per procedere si deve trovare un modo per rimuovere l'ostacolo o per aggirarlo. Quando lo si è fatto, è facile andare avanti perché la strada già esiste. Si possono concentrare i propri tentativi di soluzione del problema relativo al superamento dell'ostacolo.

3. Si è bloccati perché non c'è nulla nella via. La strada è piana e sgombra e, di conseguenza, si sfreccia oltre l'importante svolta inconsapevoli persino della sua presenza. In questo caso un modo particolare di considerare le cose conduce diritto a superare un modo di osservazione migliore. Poiché la prima via è adeguata, non si arriva nemmeno a considerare che potrebbe essercene un'altra; basterebbe solo cercarla.

Il terzo tipo di blocco si verifica quando si è frenati dall'adeguatezza, dall'apertura mentale. Il pensiero laterale si dedica completamente alla ricerca dei modi per evitare questo genere di blocco. Anziché procedere con i modelli che si sono fissati sulla superficie mnesica della mente, si cerca di trovare delle scorciatoie per ristrutturare i modelli. Come la strada nella storiella del ristorante, i modelli consolidati si sono formati sulla base di cliché familiari. Anche quando i modelli sono adeguati, non si può escludere che ve ne siano di molto più efficaci.

Se si mettono insieme gli elementi in un certo modo per ottenere un modello, questa procedura impedisce di combinarli in un'altra maniera per ottenere un modello diverso. Un modo di combinare i tre elementi illustrati a pagina 265 esclude gli altri modi. I modelli godono di esclusività. Nondimeno un modello soddisfacente non può escludere la possibilità dell'esistenza di una combinazione diversa e migliore. Il guaio è che la combinazione diversa e migliore non nasce dal modello attuale bensì al suo posto. Non c'è ragione logica per cercare un modo migliore di fare qualcosa se esiste già un metodo idoneo. Ciò che è ade-

guato va sempre abbastanza bene. L'interessante è notare
che nel nostro pensiero abbiamo sviluppato metodi per
operare con le cose sbagliate ma non con quelle giuste.
Quando compare l'errore compiamo ulteriori indagini.
Quando qualcosa è giusto il nostro pensiero finisce per fermarsi. Questa è la ragione per cui abbiamo bisogno del
pensiero laterale per abbattere questo blocco dovuto all'a-
deguatezza e ristrutturare i modelli anche quando non ve
n'è la necessità.

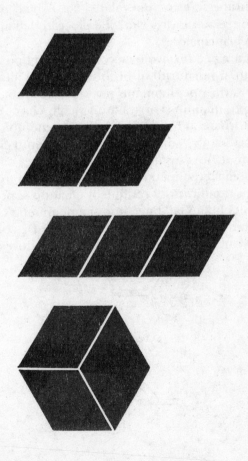

La difficoltà insita nel blocco derivato da apertura mentale sta nel fatto che non esiste alcuna indicazione circa il punto in cui si è verificato il blocco. Potrebbe essere accaduto dovunque lungo il percorso apparentemente corretto. Nella pagina sono raffigurati due tipi di modello ramificato. Nel primo tipo c'è un determinato cambio di direzione in ciascuna diramazione: si va a destra o a sinistra. Ciò significa che si ha sempre *consapevolezza* delle diramazioni. Nel secondo tipo i rami si dipartono da un tronco rettilineo. Se si procede lungo il tragitto principale è possibile persino non essere consapevoli del fatto che c'era un ramo laterale o un punto di scelta. Si è bloccati dall'apertura del percorso principale.

Se si giunge a un vicolo cieco nel primo tipo di modello ramificato si fa ritorno al bivio e si cerca l'altro ramo. È possibile farlo ripetutamente per ciascun bivio. Ma nel secondo tipo, quando si arriva a un vicolo cieco, non si può proprio tornare al bivio precedente perché non si sa nemmeno dove siano le diramazioni dal momento che non si è mai compiuta una sosta per sceglierle.

I modelli stereotipati congiunti formano il tronco di un sistema di ramificazioni rettilineo. Quando si procede senza difficoltà lungo tali linee non si è nemmeno consapevoli dell'esistenza di possibili svolte laterali. Di conseguenza quando si arriva a un vicolo cieco non si sa dove andare.

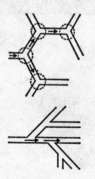

Nella pagina seguente è raffigurato un elemento di plastica: dato il secondo, l'obiettivo è di disporre i due elementi in modo tale da ottenere una semplice forma facile da descrivere. La disposizione è evidentemente quella illustrata. Si aggiunge un altro elemento e ancora una volta la disposizione è evidente. Quando ci si ritrova con un quarto elemento, è difficile metterli tutti insieme. L'originaria disposizione del secondo elemento nell'angolo del primo è un modello talmente ovvio da costituire un cliché. E come cliché si vuole usarlo, non smembrarlo. Tutto ciò rende difficile la soluzione finale poiché l'elemento piccolo deve essere collocato in una posizione del tutto diversa.

I cliché sono modelli stabiliti e adeguati che sono utilissimi e svolgono un buon lavoro. Si possono utilizzare in tre modi:

1. Per comunicare. È più facile spiegare una situazione in termini di cliché anziché escogitare nuovi modelli.

2. È più facile selezionare un cliché che individuare altri modelli in un ambiente che ne offre diversi di alternativi.

3. Data solamente una parte di un modello, la si elabora in un modello completo: un cliché stereotipato.

Un giorno stavo facendo colazione alla caffetteria dell'università quando osservai che a un altro tavolo sedeva uno studente con i capelli lunghissimi e un viso delicato e sensibile. Mentre osservavo lo studente pensai tra me e me che quella fosse una persona di cui non si riusciva a determinare il sesso dall'aspetto. Ci vollero diversi minuti prima che osservassi improvvisamente che lo studente aveva dei baffi lunghi e radi! Nella mia mente ero passato dai lunghi capelli e dal viso delicato all'assunzione che lo studente potesse essere una ragazza e così non avevo affatto osservato i baffi. Pertanto è la scelta di modelli stereotipati a impedire persino la consapevolezza del fatto che si sarebbero potuti facilmente individuare modelli alternativi.

Se una comune lettera dell'alfabeto viene parzialmente nascosta sotto un foglio di carta, si elabora il modello per fornire la lettera base. Le lettere sono modelli stereotipati e occorre solamente un indizio per riuscire a elaborarne la forma restante. È abbastanza facile riconoscere in questo modo le lettere perché sono note dapprincipio tutte le possibilità e si sa che il modello deve essere una lettera. Ma se i modelli non fossero affatto delle lettere, bensì completamente diversi, e fossero coperti in modo da lasciare in vista dei frammenti di aspetto simile alle lettere? Si elaborerebbe il modello cliché e si cadrebbe nell'errore. Se invece non si conoscesse la forma di tutte le lettere? Accadrebbe la stessa cosa. Nella vita reale si elaborano sempre modelli come se potessero essere solamente dei cliché.

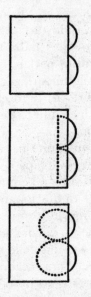

Questo blocco dovuto ad apertura mentale è assolutamente prevalente nel pensiero. In un certo modo è la base del pensiero perché questo deve fare congetture e presupposizioni basate sull'esperienza passata. Per quanto utile, il processo ha determinati svantaggi soprattutto in termini di nuove idee e di aggiornamento dei modelli. Questo processo che porta a bloccarsi per apertura mentale è il nucleo essenziale della necessità del pensiero laterale. Il pensiero laterale è un tentativo di trovare percorsi alternativi, di mettere insieme le cose in modo nuovo, per quanto quello vecchio possa apparire adeguato.

Pratica

L'unico obiettivo di questa lezione pratica non è tanto quello di sperimentare qualche tecnica bensì di illustrare il fenomeno del blocco derivato da apertura mentale. Tale intento si concretizza mostrando quanto sia facile essere appagati da ciò che sembra una spiegazione soddisfacente.

1. Storie, aneddoti, scherzi. Si invitano gli studenti a pensare esempi di blocco dovuto ad apertura mentale. Gli esempi possono essere tratti dalla loro esperienza o da eventi di cui hanno sentito parlare. L'insegnante può annotare questi eventi e aggiungerli alla sua raccolta di materiali per occasioni future. In ogni caso l'insegnante può aver già raccolto esempi di questo genere e usarli per illustrare ciò che si propone.

Per esempio, avevo un ospite in casa. Dopo la partenza dell'ospite mi accorsi che la lampada da tavolo non funzionava. Controllai la lampadina e i contatti ma ancora la lampada non voleva saperne di funzionare. Ero già sul punto di smontare la spina, quando mi venne in mente che l'ospite aveva probabilmente spento la lampada usando l'interruttore alla base della stessa e non quello posto sulla parete che io ero solito usare. In realtà era accaduto proprio questo.

2. Agli studenti si mostrano parti di una fotografia oppure un'illustrazione con delle parti occultate da un cartoncino. Si chiede loro di che soggetto si tratti. Li si incoraggia a saltare subito alla conclusione prima che venga svelato il resto dell'immagine.

3. L'uso di spazi vuoti. Agli studenti si chiede di scrivere un breve brano su qualche tema e poi di rivedere il testo cancellando ogni parola che possa renderlo evidente. Il brano viene poi riscritto con degli spazi vuoti al posto di tali parole. In alternativa gli studenti possono semplicemente scrivere il brano e quindi l'insegnante cancella le parole rivelatrici inserendo degli spazi vuoti al loro posto. Un terzo modo di procedere consiste nel prendere un brano di gior-

nale o rivista per sottoporlo allo stesso trattamento. È preferibile fornire agli studenti un esempio di ciò che si vuole prima di chiedere loro di preparare tali brani. Si legge poi ad alta voce il testo con le cancellature e si chiede agli studenti innanzi tutto di decidere quale sia il tema e poi di cercare di riempire i singoli spazi vuoti. Ogni studente opera individualmente e alla fine si confrontano i risultati.

Un esempio di questo esercizio potrebbe essere il seguente: «Stava accanto a *spazio* e ogni volta che un *spazio* lo avvicinava era solito alzare il braccio e *spazio*. Ci volle un po' di tempo prima che effettivamente *spazio* e anche così quello non prese *spazio*».

In questo brano il termine *spazio* si riferisce a qualcosa che è stato omesso. È importante sottolineare che ciò non si applica necessariamente a una singola parola ma si potrebbe usare per un gruppo di parole. Pertanto l'espressione «combinare qualcosa» verrebbe sostituita da uno spazio come lo sarebbe la parola «auto».

22

DESCRIZIONE/PROBLEM SOLVING/
PROGETTAZIONE

Il capitolo precedente riguardava il blocco dovuto ad apertura mentale, ovvero si è occupato del modo in cui modelli consolidati impediscono lo sviluppo di modelli che fanno miglior uso delle informazioni disponibili. Normalmente si insegna soltanto a riflettere sulle cose finché si giunge a una risposta adeguata. Si continua a indagare quando le cose sono insoddisfacenti ma non appena appagano ci si ferma. Eppure può esistere una risposta o una elaborazione dell'informazione di gran lunga migliore di quella adeguata. Tutto ciò fa parte del primo aspetto del pensiero laterale, quello che ha come scopo il creare una consapevolezza dei limiti dei modelli stabiliti. Tali modelli possono dare luogo a tre situazioni:

1. Possono creare problemi che non esistono nella realtà. Tali problemi si creano solamente grazie a particolari divisioni, polarizzazioni, concettualizzazioni.

2. Possono agire come trappole o prigioni che impediscono una più utile elaborazione dell'informazione.

3. Possono produrre un blocco dovuto ad apertura mentale.

Questo primo aspetto del pensiero laterale serve per diventare consapevoli del processo e della sua necessità. Il secondo aspetto si riferisce allo sviluppo di certe abilità nell'uso del pensiero laterale.

Non è di grande utilità trattare il pensiero laterale alla stregua di un processo astratto e non serve nemmeno considerarlo come qualcosa da fare con creatività è quindi desiderabile. Non è neppure di grande utilità intendere il pensiero laterale come vantaggioso per qualche persona in qualche momento e in alcune situazioni. Il pensiero laterale è una parte necessaria del pensiero e interessa tutti. Occorre andare oltre la consapevolezza e l'apprezzamento e praticarlo effettivamente. Nel corso di questo libro sono stati proposti diversi modi di praticare il pensiero laterale. In ogni caso si è pensato di fare uso di una tecnica specifica. Oltre a tali suggerimenti di pratica specifica, sono necessarie alcune situazioni pratiche generali. Nell'affrontare le situazioni generali si possono usare le tecniche apprese altrove oppure sviluppare individualmente abiti mentali intenzionali e modi volontari di applicazione del pensiero laterale.

È facile farsi coinvolgere a fondo in qualche progetto. Nel corso dell'esecuzione di un siffatto progetto si potrebbe creare l'opportunità di usare il pensiero laterale. In realtà, le possibilità di farne uso sarebbero esigue perché in un progetto specifico affrontato a fondo si dà rilievo alla raccolta di conoscenze specializzate o alla loro applicazione. Questa è materia del pensiero verticale. Il pensiero laterale viene maggiormente usato quando la conoscenza è già disponibile e si dà rilievo all'uso *migliore* di essa. È di gran lunga più utile praticare il pensiero laterale in un vasto numero di piccoli progetti che ritenere che venga praticato nel perseguimento di un vasto progetto.

Esistono tre situazioni pratiche che favoriscono l'uso del pensiero laterale.

• Descrizione.
• Problem solving.
• Progettazione.

Descrizione

Un oggetto o una situazione possono essere descritti da qualcuno in un modo particolare e da qualcun altro in un modo differente. Possono esserci tante descrizioni quanti sono i punti di vista. Alcune descrizioni possono essere più utili di altre, oppure più complete. Ma non ce n'è una sola esatta in assoluto. Ecco perché la descrizione è un modo semplice per mostrare come sia possibile considerare un fenomeno in maniere diverse. Si tratta anche di un sistema facile per mettere in pratica la capacità di generare modi alternativi di considerare una situazione. Oltre a ciò, quando si apprende a generare autonomamente punti di vista alternativi, si è già pronti ad apprezzare la validità dei punti di vista altrui.

La descrizione è un modo per rendere visibile la maniera di interpretare le cose, di spiegare a se stessi quella data cosa. Dovendo descrivere qualcosa, ci si deve affidare temporaneamente a un particolare punto di vista. Ciò significa che si deve generare un punto di vista definito anziché accontentarsi di una vaga consapevolezza.

L'intento di quest'esercizio è quello di educare la gente a rendersi conto del fatto che esiste più di un modo di considerare una situazione e riuscire quindi a generare autonomamente dei modi alternativi. Per questa ragione si dà rilievo non tanto all'accuratezza della descrizione quanto alla *differenza* fra descrizioni e all'uso di metodi nuovi di descrizione.

La materia di base che si deve descrivere può essere costituita da elementi visivi. Questi potrebbero essere fotografie o illustrazioni bell'e pronte oppure si potrebbe chiedere agli studenti di disegnare delle immagini per farle descrivere ai compagni. Un buon punto di partenza sono le semplici forme geometriche lineari. Si può poi passare dai materiali visivi a testi scritti. Con questi ultimi, in effetti, si ridescrive qualcosa che è già stato descritto: può trattarsi di una storia, di una relazione su un libro o su un articolo di giornale. Le situazioni della vita reale possono essere identificate con un nome senza descriverle proprio come si possono identificare gli oggetti della stessa vita reale per poi lasciarne la descrizione completa agli studenti. Per esempio, si potrebbe chiedere di descrivere una mietitrice o il sistema parlamentare. Oggetto della descrizione possono essere azioni, come nelle sciarade. Naturalmente non c'è limite a ciò che si può descrivere.

Le descrizioni possono essere verbali o scritte o anche sotto forma di immagine. Ottenute le descrizioni, si pone l'accento sull'esposizione dei diversi approcci e se ne possono richiedere di nuove.

Per quanto non si sia interessati a trovare la migliore descrizione possibile, occorre però tenere ben presente che cos'è una descrizione utile e che cosa non lo è. I materiali da descrivere non vengono usati come uno stimolo per suggerire delle idee. L'obiettivo non è quello di generare idee che abbiano qualcosa a che vedere con i materiali, bensì quello di descriverli. Il miglior criterio di descrizione adeguata è il seguente:

«Supponi di dover descrivere questa scena a qualcuno che non sia in grado di vederla, come la descriveresti?».

Non si va alla ricerca della descrizione esaustiva e pedissequa. Una descrizione che comunichi solamente un aspetto dei materiali può essere validissima se si esprime con vivacità. Le descrizioni possono essere complete, parziali o generali.

Per esempio, di un quadrato si può fornire la seguente descrizione:

Una figura che ha quattro lati uguali.

Una figura che ha solamente quattro angoli, tutti rettangoli.

Un rettangolo con tutti i lati uguali.

Se cammini verso nord per due miglia girando poi bruscamente a est e continui per due miglia, poi ancora a sud e continui per due miglia e poi a ovest e prosegui per altre due miglia, il percorso su cui procedi, visto dall'aereo, sarebbe un quadrato.

Se prendessi un rettangolo lungo il doppio della larghezza e lo dividessi a metà, otterresti due quadrati.

Se mettessi insieme due triangoli isosceli rettangoli, base contro base, avresti un quadrato.

Alcune delle descrizioni qui sopra citate sono evidentemente molto incomplete. Altre sono assai tortuose.

La descrizione è sicuramente il contesto più facile in cui praticare il pensiero laterale perché si ottiene sempre qualche risultato.

Problem solving

Al pari della descrizione il *problem solving* è un argomento che è stato usato nei suggerimenti pratici proposti in questo libro. Un problema non è propriamente una difficoltà predisposta artificialmente che si trova solamente nei manuali. Un problema è semplicemente la differenza fra ciò che si possiede e ciò che si vuole. Non c'è questione che non ponga un problema. Generare e risolvere problemi è la base del pensiero avanzato e del progresso. Se la descrizione è interessata a una visione retrospettiva su ciò che si possiede, il *problem solving* è interessato a uno sguardo anticipatore su ciò che si può ottenere.

In qualsiasi problema ci sono dei traguardi desiderati, qualcosa che si desidera far accadere e che può assumere una varietà di forme:

1. Risolvere qualche difficoltà (problema della congestione del traffico).

2. Far accadere qualcosa di nuovo (progettare una macchina per la raccolta delle mele).

3. Eliminare qualcosa di insoddisfacente (incidenti stradali, la fame).

Tutti questi sono solo aspetti diversi dello stesso processo che deve attuare un cambiamento nello stato di cose. Per esempio il problema della congestione del traffico potrebbe essere a sua volta espresso in tre modi:

1. Risolvere la difficoltà della congestione del traffico.

2. Progettare un sistema viario con un traffico scorrevole.

3. Liberarsi della frustrazione e dei ritardi dovuti alla congestione del traffico.

I problemi possono essere aperti o chiusi. Per la maggior parte, i problemi utilizzati in questo libro sono aperti, in quanto sarebbe impossibile avere il tempo o l'opportunità di cercare le soluzioni alla varietà di problemi della vita reale. Con i problemi aperti si possono solamente formulare proposte di soluzioni possibili. Poiché queste proposte non possono effettivamente essere messe alla prova per vedere se funzionano, le si giudica in qualche altro modo. Il giudizio si basa su ciò che si ritiene accadrebbe se la soluzione venisse realmente sperimentata. Il giudizio può essere formulato dall'insegnante o dagli studenti. Ma non è tanto il giudizio sulle soluzioni proposte a essere messo in risalto quanto la produzione di orientamenti differenti. Quando è possibile si accetta una proposta e la si elabora anziché respingerla. L'unica occasione in cui occorre far valere il giudizio si ha quando le proposte si discostano a tal punto dal problema che non si riesce più a risolverlo. Nonostante un problema possa in realtà essere risolto dalle informazioni generate in un altro contesto, lo scopo di questo tipo di pratica di *problem solving* è di provare a dare una soluzione al problema dato.

Nel caso dei problemi chiusi c'è una risposta determinata. La soluzione funziona o non funziona. Può esserci solamente una soluzione ma spesso ci sono più soluzioni alternative. Alcune di queste soluzioni sono migliori di altre ma a questo scopo basta che la soluzione funzioni. È preferibile trovare diverse soluzioni piuttosto che individuare solamente la migliore. I problemi chiusi devono essere alquanto elementari per essere risolubili in un contesto semplice. In alternativa si deve disporre di un sistema formale di simboli come la matematica che permetta a ciascuno di costruirsi il proprio modello del mondo reale. Tuttavia è preferibile guardarsi dai problemi puramente matematici poiché richiedono delle conoscenze tecniche. Esistono vari problemi verbali che hanno soluzioni verbali. Alcuni di questi comportano la più semplice delle matematiche ma la soluzione in sostanza dipende dal modo in cui si considera il problema. (Per esempio, c'era una fila di anatre che zampettavano, due anatre erano davanti a un'anatra e due anatre erano dietro a un'anatra. Quante anatre c'erano? La risposta è tre anatre.) È possibile costruire una quantità di problemi analoghi prendendone nota quando si incontrano. L'importante è che nessun problema dipenda da trucchi verbali perché non si deve dare agli studenti l'impressione che l'insegnante intenda *ingannarli* mediante giochi di parole ecc.

Un genere di problema utile è il problema meccanico e artificiale del tipo chiuso. Questo genere di problemi affronta oggetti reali, come portare una scala lunga in una stanza corta. È possibile generare intenzionalmente problemi analoghi prendendo una semplice e chiara attività per poi problematizzarla ponendo severi limiti alla posizione di partenza. Per esempio il problema potrebbe essere: «Come svuoteresti un bicchiere d'acqua se non è consentito sollevarlo dal tavolo?». Un altro problema analogo potrebbe essere: «Come potresti portare un litro e mezzo d'acqua in un giornale?». Quando si ricorre a questo tipo di problema, è necessario porre un'estrema cura nella definizione della posizione di partenza. Non si può tornare indietro e dire che si dava per supposto o per scontato qualche elemento. Per esempio, se si chiede agli studenti di tagliare un cartoncino in una certa forma non si può dire: «Ma non ho detto che potete piegare la carta» o «S'era ammessa l'impossibilità di piegare la carta altrimenti sarebbe troppo facile». Questo punto è importante perché se si dice agli studenti di fare delle presupposizioni e di ipotizzare dei limiti al loro *problem solving* si va direttamente contro lo scopo del pensiero laterale che mette in discussione l'effetto limitativo di tali presupposizioni.

Numerosi fra questi problemi chiusi artificiali possono sembrare alquanto futili, ma non importa perché le procedure usate nel risolvere certi problemi si possono isolare e trasferire ad altri. L'intento è quello di sviluppare un repertorio di procedure di *problem solving*.

C'è un terzo tipo di problema che si può utilizzare in classe ma che comporta del lavoro a casa per l'insegnante. Lo scopo è di presentare problemi che siano già stati risolti non risolvendone la soluzione. L'insegnante deve immaginare come possa essere stato formulato il problema prima che venisse trovata la soluzione. Le situazioni devono naturalmente essere del tipo non familiare agli studenti. Per esempio, si può chiedere agli studenti: «Come fareste dei secchi di plastica o delle tubazioni di plastica?». L'insegnante che fosse un esperto di stampi, lavorazione sotto vuoto, estrusione ecc. incoraggerebbe le proposte e alla fine darebbe la risposta. A volte è utile chiedere se qualcuno conosce già la risposta perché in tal caso lo si può pregare di starsene tranquillo o di spiegare la risposta alla fine. Se ogni studente annota le proprie proposte non c'è pericolo che il problema venga alterato da chi conosce già la risposta. Si può generare questo tipo di problemi usando la propria immaginazione, leggendo riviste (di scienza, tecnologia ecc.) o girando per le mostre. Non c'è inconveniente alcuno a reinventare cose che siano già state inventate: è una pratica eccellente.

Progettazione

La progettazione è in effetti un caso particolare di *problem solving*. Si desidera creare un determinato stato di cose. Ogni tanto si desidera porre rimedio a qualche difetto ma nella maggior parte dei casi si vuole creare qualcosa di nuovo. Per questa ragione la progettazione è più aperta del *problem solving*, e richiede maggiore creatività. Non si tratta tanto di collegare un obiettivo chiaramente definito con una posizione di partenza pure chiaramente definita (come nel *problem solving*) quanto di cominciare da una posizione generale nella direzione di un obiettivo generale.

Un progetto non deve essere necessariamente un disegno ma per la pratica del pensiero laterale è molto più utile che il progetto assuma sempre la forma grafica. Non ha importanza la qualità del disegno purché sia un tentativo di fornire una descrizione visiva del suo significato.

Al disegno si possono aggiungere note esplicative che devono però essere brevi. Il vantaggio di un disegno consiste nel fatto che è di gran lunga più affidabile di una spiegazione verbale. Le parole possono essere molto vaghe ma una linea va tracciata in uno spazio determinato. Per esempio nel progetto di macchina sbucciapatate sarebbe facile affermare «Le patate entrano qui e poi vengono lavate». Ma quando queste operazioni vengono descritte visivamente si può ottenere l'effetto illustrato a pagina 284. Il disegnatore-progettista voleva usare un secchio d'acqua per lavare le patate e il miglior modo per adattare il secchio alla sua macchina era quello di ruotarlo sul fianco, così il livello dell'acqua doveva pure subire una rotazione laterale. Questo magnifico uso stereotipato del secchio d'acqua non sarebbe mai giunto a evidenza in una descrizione puramente verbale.

• *Confronto*

Primo scopo della progettazione è mostrare che esistono modi alternativi di svolgere una funzione. Un singolo progettista riuscirà solamente a vedere uno o comunque pochi modi alternativi di fare qualcosa. Ma con un gran numero di progettisti ci sarà una molteplicità di approcci alternativi. Di conseguenza, semplicemente mostrando a ogni singolo progettista i tentativi altrui, si mostra come sia possibile considerare le cose in modi diversi. L'obiettivo dell'esperimento di progettazione non è di insegnare a progettare bensì di insegnare il pensiero laterale, di far acquisire abilità nella generazione di modi alternativi di considerare una situazione.

In pratica si assegna alla classe un tema generale di progettazione (macchina per la raccolta delle mele, carro adatto a terreni accidentati, macchina sbucciapatate, tazza che non si rovescia, riprogettazione del corpo umano, di una salsiccia, di un ombrello, di una macchina per tagliare i capelli ecc.). Agli studenti si chiede di presentarsi con i progetti relativi al particolare compito dato. Per rendere più facile il confronto è preferibile assegnare agli studenti solamente *un progetto* anziché lasciarli scegliere da una lista. Poi si raccolgono e si confrontano i progetti individuali.

I confronti possono riferirsi all'intero progetto (per esempio la raccolta delle mele dall'albero confrontata con lo scuotimento della pianta) o a qualche funzione particolare (per esempio afferrare le mele con una mano meccanica a fronte della loro aspirazione attraverso un buco).

• *Unità stereotipate*

Esaminando i progetti presentati si prende rapidissimamente coscienza delle unità stereotipate. Le unità stereotipate sono modi standard di fare qualcosa che vengono mutuati totalmente da un altro contesto. Per esempio, un secchio e l'acqua per lavarvi le patate sono un'unità stereotipata. Il secondo scopo della progettazione è di mettere in evidenza questi modi standard di fare le cose e mostrare come possano non essere i migliori.

Mettendo in evidenza le unità stereotipate, non se ne dà un giudizio. Certamente non le si condanna in quanto unità stereotipate. Nel processo di progettazione si deve passare per le unità stereotipate prima di procedere verso qualcosa di più appropriato. Si mette semplicemente in evidenza l'unità stereotipata e si incoraggia il progettista ad andare oltre.

L'intero progetto può essere un'unità stereotipata. Fu così che quando si chiese ad alcuni bambini di progettare un carro in grado di percorrere terreni accidentati, un ragazzo disegnò un carro armato con tanto di cannone, mitraglie e razzi. Simili unità stereotipate nel loro complesso sono mutuate direttamente da cinema, televisione, fumetti, enciclopedie eccetera.

Più sovente l'unità stereotipata è solamente parte del progetto. Nel progetto di macchina per la raccolta delle mele, uno studente disegnò un grande robot che staccava le mele da un albero. Dalla parte superiore della testa del robot un filo arrivava fino al dispositivo di comando nelle mani di un uomo normale che se ne stava proprio lì dietro. Al grande robot non mancava nulla, nemmeno le ciglia. Un'altra immagine mostrava una struttura simile a una scatola con un disco piatto per coperchio. Questa struttura stava su due zampe ed era dotata di due semplici arti per la raccolta ciascuno con cinque dita. Un altro progetto aveva soppresso le zampe e trasformato il coperchio simile a un disco in un quadrante con una lancetta che indicava «veloce... più veloce... stop»; i due arti con cinque dita, tuttavia, erano conservati. Un altro progetto ancora sopprimeva il coperchio ma manteneva gli arti. Infine un progetto molto sofisticato mostrava un piccolo veicolo mobile su ruote con un lungo braccio che s'allungava fino alle mele. All'estremità dell'arto c'era una mano completa delle cinque dita. Si sarebbe potuto supporre che si trattasse semplicemente di un modo chiaro di indicare una funzione di raccolta ma c'era un buco nero al centro della mano e una nota esplicativa: «Le mele vengono aspirate attraverso questo buco». In questa sequenza le unità stereotipate vanno dalla duplicazione completa dell'uomo alla mano con cinque inutili dita.

This macinery go over tough foff ground.
The is a different kink of bonk it is hard a missus
one long too cran. This tank gos over tough ground
There is three men workin wokeng the tank
It will pas a rock out the wae.

Come detto sopra può essere necessario passare per unità stereotipate nel corso del processo di progettazione. Le unità stereotipate si possono trattare nei seguenti modi (fra gli altri):

1. Taglio e scissione

Si prende un'unità stereotipata completa e poi gli elementi non essenziali vengono tagliati via allo stesso modo in cui si poterebbe un roseto. Per esempio, in un sofisticato progetto di macchina sbucciapatate un progettista voleva spingersi oltre e friggere il tubero per farne delle patatine. Pertanto inglobò una pentola per friggere *completa* di manico. Poiché le patate venivano trasportate meccanicamente dentro e fuori dalla pentola il manico era ovviamente superfluo.

Attraverso successivi tagli si riduce gradualmente l'unità stereotipata a quella parte che è realmente necessaria.

(Questo è lo scopo complessivo di quella branca dell'ingegneria nota con l'appellativo di «controllo di utilità».) Il taglio può essere un processo graduale con una piccola quantità che viene tolta ogni volta o può comportare ampie amputazioni. Per esempio, da un'unità stereotipata quale un carro armato si può tagliare la funzione bellica e conservare solamente il cingolato. Laddove il divario sia molto ampio, può trattarsi di scindere un'unità stereotipata più che di ridurla. Taglio e scissione sono due procedure di smembramento concettuale e l'abilità nel loro uso è un processo del pensiero laterale volto a evadere dai modelli rigidi.

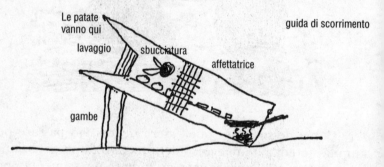

Macchina per patate

2. Astrazione ed estrazione

In un certo modo si tratta semplicemente di una forma di scissione. Estrarre la parte critica di un'unità stereotipata è la stessa cosa che scindere qualsiasi altra cosa. In pratica, tuttavia, i due processi sono diversi. È possibile rendersi conto della parte essenziale e rimuoverla (estrazione) o affrontare l'unità stereotipata togliendone un frammento dopo l'altro fino a giungere alla parte essenziale.

Ciò che viene estratto può effettivamente far parte dell'unità stereotipata. D'altro canto può essere qualcosa di meno tangibile, qualcosa che dipende dall'osservazione di detta unità sotto un angolo visuale particolare. Per esempio, è possibile *astrarre* il concetto di funzione. Benché il concetto sia derivato dall'unità stereotipata non ne fa fisicamente parte bensì ne è una descrizione particolare. Tuttavia esso forse non sarebbe sorto senza l'unità stereotipata. Così nella macchina per la raccolta delle mele la «raccolta» è una funzione astratta che sorge direttamente dal cliché della mano umana.

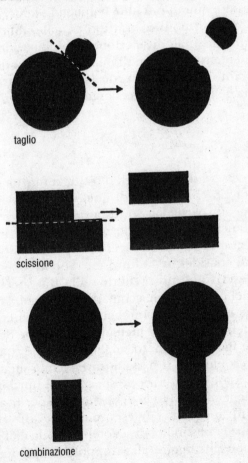

taglio

scissione

combinazione

3. Combinazione

In questo caso si prendono le unità stereotipate da diverse fonti e si mettono insieme per formare una nuova unità che non compare da nessuna parte. Questo processo di combinazione può avvenire per semplice addizione di funzioni (cingoli, braccio telescopico, mano per cogliere le mele) oppure può avvenire qualche moltiplicazione delle funzioni (per esempio per una riprogettazione del corpo umano: il naso sulle gambe per poter essere più vicino al suolo ed essere quindi più utile nel seguire le tracce).

Questi diversi modi di trattare i cliché abbracciano i processi fondamentali di selezione e combinazione che sono evidentemente alla base di qualsiasi sistema di elaborazione dell'informazione. I processi sono illustrati con il diagramma della pagina precedente.

• *Funzione*

Nel suo essere distinta dagli oggetti, la funzione è la descrizione di ciò che accade, di quel che succede. È facile pensare oggetti particolari o disposizioni di oggetti come cliché, ma anche le funzioni possono essere dei cliché.

In qualsiasi situazione progettuale esiste una gerarchia dei modi di considerare la funzione. Si potrebbe procedere dalla descrizione più generale alla più specifica. Per esempio, nel caso della macchina per la raccolta delle mele potrebbe esserci una gerarchia che si presenterebbe nel modo seguente: portare le mele nella posizione desiderata, separare le mele dall'albero, togliere le mele, raccogliere le mele. Di solito non si passa attraverso una siffatta gerarchia ma si usa una descrizione specifica di funzione quale «raccolta delle mele». Più la descrizione è specifica e più se ne viene intrappolati. Per esempio, l'uso di «raccolta» escluderebbe la possibilità di scuotere le mele dall'albero.

Allo scopo di sfuggire alla trappola di un'idea troppo

specifica di funzione, si cerca di risalire la scala gerarchica delle funzioni dal particolare al generale. Di conseguenza, si direbbe «non raccolta delle mele, ma rimozione delle stesse, non rimozione delle mele ma separazione di queste dalla pianta». Un altro modo di sfuggire all'idea troppo specifica di funzione è quello di capovolgerla secondo un metodo autenticamente laterale. Perciò, anziché «cogliere le mele dall'albero» si potrebbe pensare a «togliere la pianta dalle mele».

Alla richiesta di progettare una tazza che non si rovescia, un gruppo di bambini ha mostrato una grande varietà di approcci funzionali. Il primo approccio stava nel progettare una tazza che non potesse essere fatta cadere. Sono state suggerite tre diverse realizzazioni: lunghe mani che scendono dal soffitto e immobilizzano la tazza; «materiale colloso» sulla tavola per attaccarvi la tazza; una tazza a forma di piramide. Il secondo approccio mirava a produrre una tazza che non versasse il suo contenuto quand'anche venisse rovesciata. Si otteneva questo risultato con uno speciale coperchio sulla tazza (il coperchio viene tenuto aperto da un fermaglio quando si desidera bere) o dando alla tazza una forma tale che il liquido rimanesse sempre sul fondo quale che fosse la posizione della tazza (un po' come i calamai non rovesciabili).

Rispetto alla funzione, il guaio è che quando si è decisa una funzione particolare allora le idee progettuali sono estremamente fisse. Di conseguenza, è necessario prestare attenzione alla generazione di *funzioni* alternative e non soltanto ai modi di esecuzione di una funzione particolare.

L'astrazione di una funzione è un modo utilissimo per generare idee nel corso del processo progettuale. Se si resta attaccati a un modo particolare di fare qualcosa (una mano per cogliere le mele), non è possibile ottenere molto altro. Ma se si astrae la funzione da questa situazione particolare, si possono scoprire altri metodi per attuarla. Questo processo viene illustrato nel diagramma a pagina seguente.

287

I risultati progettuali ottenuti dagli studenti si possono confrontare mostrando che i progetti sono solamente modi differenti di realizzazione della medesima funzione. D'altro canto si può anche mostrare come un diverso concetto di funzione conduca a un approccio completamente differente.

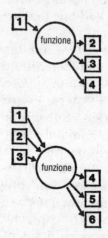

Nell'affrontare le funzioni si devono mostrare due cose:

1. Come l'astrazione di una funzione possa condurre a modi diversi della sua attuazione.

2. Come possa essere necessario cambiare un'idea particolare di funzione allo scopo di generare nuovi approcci.

In pratica si potrebbe dire: «Quello è un modo di attuare questa funzione di raccolta: riesci a concepirne qualche altro?». Ma si potrebbe anche dire: «Quelli sono modi diversi di attuare questa funzione di raccolta, ma è questo l'unico modo di considerarla? Supponi di aver messo da parte l'idea di raccolta e di pensare soltanto di togliere le mele dall'albero».

• Obiettivi progettuali

In un problema progettuale molto raramente c'è soltanto un singolo obiettivo. Di solito esistono un obiettivo principale e numerosi obiettivi secondari che possono non essere evidenti. Per esempio, nel progetto di macchina per la raccolta delle mele l'obiettivo principale può essere raggiungere e cogliere le mele, ma nel portare a effetto tale obiettivo si può anche rendere impossibile il raggiungimento di altri obiettivi. Scuotere le piante per togliere le mele soddisferebbe l'obiettivo principale ma danneggerebbe le mele. Disporre di una macchina enorme per compiere il lavoro potrebbe soddisfare entrambi gli obiettivi sopra citati, ma potrebbe rivelarsi così antieconomico da rendere tuttora più economica la raccolta manuale. Di conseguenza, sono balzati alla ribalta tre obiettivi: raccolta delle mele, ottenimento di mele non danneggiate, una macchina che sia più economica del lavoro manuale. Esistono altri obiettivi. Per esempio, la macchina dovrebbe lavorare a una certa velocità o dovrebbe avere una dimensione tale da poter passare facilmente fra le piante di un frutteto normale. Tutti questi obiettivi verrebbero specificati nella descrizione di una macchina desiderata oppure apparirebbero evidenti solamente al momento dell'esame del progetto.

Alcuni progettisti cercano di tenere sempre a mente tutti gli obiettivi. Procedono molto lentamente e respingerebbero immediatamente un'idea che non avesse successo nel soddisfare uno solo degli obiettivi. Altri progettisti vanno avanti rapidamente nel tentativo di soddisfare l'obiettivo principale. Dopo aver trovato qualche tipo di soluzione, si guardano attorno per vedere quali altri obiettivi sono stati soddisfatti. Questo secondo metodo è probabilmente più produttivo, ma dipende effettivamente da un giudizio finale complessivo altrimenti l'effetto potrebbe essere disastroso se si trascurasse un obiettivo importante. È preferibile avere questo giudizio alla fine piuttosto che a ogni stadio perché in questo caso ci si impedirebbe di prendere in considerazione idee in sé inadeguate ma utili quali gradini verso idee migliori.

• Progetto e pensiero laterale

Questo paragrafo non intende essere un trattato sulla progettazione ma offrire un'indicazione secondo la quale il processo progettuale implica in notevole misura il pensiero laterale e procura uno scenario eccellente in cui praticarlo. Nel processo progettuale si cerca sempre di ristrutturare i concetti; si osservano le unità stereotipate e si cerca di liberarsene; si devono insomma generare continui nuovi approcci.

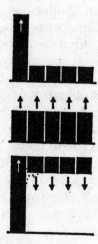

Numerosi esempi utilizzati in questo capitolo sono stati ottenuti da sforzi progettuali di bambini di età compresa fra i sette e i dieci anni. Sono bambini relativamente ingenui e il processo progettuale è una caricatura del processo progettuale che sarebbe stato usato da persone più mature. I vantaggi di questi esempi stanno nel fatto che il processo progettuale e i suoi errori vengono resi molto più evidenti. Gli errori nascono dal modo di trattare le informazioni da parte della mente e non da caratteristiche legate all'età. In una forma meno evidente gli stessi errori si presentano a tutti i livelli di età.

Il primo scopo del contesto progettuale è quello di ottenere che gli studenti generino alternative. Il secondo scopo è quello di ottenere che guardino oltre l'adeguatezza al fine di produrre qualcosa di meglio. Il terzo scopo è quello di liberarli dal dominio dei modelli stereotipati. Questi tre scopi riassumono gli obiettivi del pensiero laterale.

Pratica

Agli studenti viene proposto un compito progettuale specifico. Ciascuno di essi affronta lo stesso compito. Ogni progetto consiste in un disegno. Sul disegno possono comparire brevi annotazioni per indicare il funzionamento. Inoltre può esserci una spiegazione più estesa che non dovrebbe però riferirsi solamente a ciò che compare già nel disegno, non deve essere cioè un sostituto del disegno. Mezz'ora è un tempo sufficiente da concedere per ciascun progetto poiché ciò che interessa non è tanto la sua qualità quanto il progetto in se stesso.

Al momento della proposta del compito progettuale gli studenti possono chiedere informazioni ulteriori. Per esempio, se il compito fosse di progettare un veicolo in grado di procedere su un terreno accidentato, qualcuno potrebbe chiedere anche quanto debba essere accidentato il terreno. Sebbene tali domande siano perfettamente legittime e in una situazione progettuale reale si enunci con precisione e nei dettagli l'obiettivo, è preferibile non specificare nulla. Ciò significa che a ciascun studente è consentito assumere specificazioni proprie. In questo caso si ha una varietà molto più ampia di risposte. Nel discutere i risultati si può esprimere un giudizio sul modo in cui i progetti soddisfano altri obiettivi oltre al principale, ma non si deve condannare un progetto perché non soddisfa una condizione che non è mai stata data.

I risultati raccolti possono essere discussi subito oppure esaminati e discussi in una riunione successiva. Se possibile, sarebbe un vantaggio mostrare i risultati in qualche modo prima di discuterli.

Come si è detto sopra, la discussione si concentra sui confronti fra i diversi modi di fare le cose e sulla definizione delle unità stereotipate. È preferibile evitare di fare confronti per quanto riguarda il progetto migliore per timore di porre limiti all'immaginazione. Se proprio si volesse scegliere un progetto come molto valido, si potrebbe farlo valutando qualcosa di specifico, per esempio la sua originalità o la sua economicità anziché dare un'approvazione globale del tipo «buono». Altrimenti si utilizzino giudizi del tipo «interessante», «insolito», «molto diverso» ecc. Soprattutto è necessario astenersi dal condannare qualsiasi progetto particolare. Una tale condanna può solamente essere restrittiva. Se si desidera favorire qualche caratteristica particolare, è possibile farlo apprezzandola quando è presente anziché criticandone l'assenza. Per questa ragione è preferibile non consentire agli studenti di esprimere apertamente dei giudizi sugli sforzi progettuali altrui (ovvero non richiedere siffatti giudizi in classe).

In questo paragrafo sono stati offerti dei consigli per l'elaborazione di progetti. In generale la progettazione può esigere un piano orientato alla realizzazione di qualcosa che al momento non è dato (per esempio, una macchina per tagliare i capelli) o al miglioramento di qualcosa (per esempio, riprogettare un pettine). I progetti possono essere semplici o più complessi. In generale, i semplici progetti meccanici sono più utili delle idee astratte. Agli studenti si può chiedere di riprogettare qualsiasi oggetto quotidiano, per esempio il ricevitore telefonico, la matita, la bicicletta, la stufa, le scarpe, i banchi. Ulteriori consigli sono proposti nel precedente capitolo sulla progettazione.

• *Funzionerà?*

Nessuno desidera limitare i progetti a quelli validi e realizzabili secondo l'analisi accurata di ciascuno di essi e rigettare quelli che non funzionerebbero. Tuttavia, è necessario che gli studenti mirino a progetti realizzabili e non fantastichino per il solo gusto di fantasticare. Il livello di conoscenza meccanica che ci si può attendere dagli studenti evidentemente varia con l'età, ma in ogni caso non è questo che si sta esaminando. Sarebbe sufficiente che ogni tanto l'insegnante individuasse un progetto in tutta evidenza irrealizzabile, inducendo però tutta la classe ad accettare il fatto che, pur non funzionando, potrebbe ancora portare a idee utili. Il giudizio non verte sul fatto che il progetto sia realizzabile bensì sul fatto che il progettista abbia veramente cercato di realizzare un progetto fattibile (anche se a chiunque apparisse chiaramente che non potrebbe funzionare). Se sussistesse qualche dubbio, sarebbe preferibile non dir nulla e semplicemente ignorare il progetto.

SOMMARIO

Nell'educazione si è sempre posto l'accento sul pensiero logico consequenziale che secondo la tradizione è l'unico a fare un uso appropriato delle informazioni. La creatività viene vagamente incoraggiata come un dono misterioso. Questo libro riguarda il pensiero laterale, che non è un surrogato del tradizionale pensiero logico ma un suo necessario complemento. Il pensiero logico è assolutamente incompleto senza il pensiero laterale.

Il pensiero laterale fa un uso completamente differente delle informazioni rispetto al pensiero logico (verticale). Per esempio, la necessità di essere nel giusto a ogni passo è assolutamente essenziale al pensiero logico ma è del tutto superflua nel pensiero laterale. A volte può essere necessario sbagliare al fine di perturbare un modello in misura tale da riformarlo in un modo nuovo. Con il pensiero logico si formulano giudizi immediati, con il pensiero laterale si possono differire i giudizi allo scopo di consentire alle informazioni di interagire e generare nuove idee.

Gli aspetti gemelli del pensiero laterale sono l'uso stimolatore delle informazioni e la messa in discussione dei concetti comunemente accettati. Sottolineare entrambi questi aspetti è lo scopo principale del pensiero laterale che offre un mezzo per ristrutturare i modelli. Questa ristrutturazione dei modelli è necessaria per fare un miglior uso delle informazioni già disponibili. È una ristrutturazione intuitiva.

La mente è un sistema modellizzante. La mente crea modelli dall'ambiente e poi riconosce e usa tali modelli. Questa è la base della sua efficacia. Poiché la sequenza d'arrivo delle informazioni determina il modo in cui queste devono essere elaborate in un modello, detti modelli sono sempre inferiori alla migliore elaborazione possibile dell'informazione. Allo scopo di aggiornare i modelli e quindi di migliorare l'uso delle informazioni in essi contenute, occorre un meccanismo per la ristrutturazione intuitiva. Questo meccanismo non può essere fornito dal pensiero logico che opera per mettere in relazione concetti comunemente accettati ma non per ristrutturarli. Il comportamento di questo tipo di sistema di elaborazione delle informazioni esige il pensiero laterale al fine di determinare la ristrutturazione intuitiva. La funzione di stimolo del pensiero laterale e la funzione di messa in discussione sono entrambe orientate verso tale obiettivo. In entrambi i casi le informazioni vengono utilizzate in una maniera che va oltre la ragione perché il pensiero laterale opera al di fuori della ragione. Ma la necessità del pensiero laterale si basa del tutto logicamente sulle insufficienze di un sistema mnesico automassimizzante che è il tipo di sistema che rende la mente capace di humour.

Il pensiero laterale opera in una fase precedente il pensiero verticale. Il pensiero laterale viene utilizzato per ristrutturare il modello percettivo che è il modo con cui si considera una situazione. Il pensiero verticale poi accetta quel modello percettivo e lo sviluppa. Il pensiero laterale è generativo, il pensiero verticale è selettivo. Scopo di entrambi è l'efficacia.

Nel pensiero comune tradizionale non abbiamo sviluppato alcun metodo per andare oltre l'adeguatezza. Appena qualcosa è soddisfacente il nostro pensiero deve fermarsi. Eppure possono esserci numerose e migliori elaborazioni dell'informazione al di là della mera adeguatezza. Quando si è raggiunta una risposta adeguata poi è difficile andare avanti con il pensiero logico perché il meccanismo di rigetto che è la base di tale pensiero può funzionare meno correttamente. Con il pensiero laterale si riesce facilmente ad andare oltre l'adeguatezza mediante la ristrutturazione intuitiva.

Il pensiero laterale è utile soprattutto nel *problem solving* e nella generazione di nuove idee, ma non resta confinato in queste situazioni perché è parte essenziale del pensiero in generale. Senza un metodo per modificare i concetti e aggiornarli si è soggetti a rimanere intrappolati in concetti più dannosi che utili. Inoltre rigidi modelli concettuali possono veramente creare un gran numero di problemi. Tali problemi sono particolarmente acuti, poiché non possono venire modificati dalle certezze a disposizione ma solamente dalla ristrutturazione intuitiva.

La necessità di cambiare le idee si fa sempre più evidente poiché la tecnologia accelera il ritmo della comunicazione e del progresso. Non abbiamo mai sviluppato dei metodi molto soddisfacenti per cambiare le idee ma abbiamo sempre fatto assegnamento sul conflitto. Il pensiero laterale è orientato verso la determinazione di cambiamenti nelle idee mediante la ristrutturazione intuitiva.

Il pensiero laterale è direttamente interessato all'intuizione e alla creatività. Ma mentre entrambi questi processi solitamente vengono riconosciuti soltanto dopo che si sono manifestati, il pensiero laterale è un modo intenzionale di utilizzare le informazioni allo scopo di produrli. In pratica il pensiero laterale e il pensiero verticale sono a tal punto complementari da fondersi. Tuttavia è preferibile trattarli distintamente allo scopo di comprendere la natura fondamentale del pensiero laterale e acquisire pratica nel suo uso. Con ciò si previene anche la confusione perché i princìpi che governano l'uso dell'informazione nel pensiero laterale sono del tutto diversi da quelli impiegati nel pensiero verticale.

È difficile acquisire qualsiasi tipo di abilità nel pensiero laterale semplicemente leggendo dei testi su di esso. Allo scopo di accrescere tale capacità si deve fare pratica e svilupparla, e con ciò si spiega il rilievo che in questo libro si è dato alle lezioni pratiche. E neppure l'esortazione e la buona volontà sono sufficienti. Esistono tecniche specifiche per l'applicazione del pensiero laterale. Lo scopo di tali tecniche è duplice: possono essere impiegate per il loro valore intrinseco ma, cosa ben più importante, possono essere usate per sviluppare un abito mentale laterale.

Allo scopo di fare un uso efficace del pensiero laterale occorre un pratico strumento linguistico. Tale strumento è necessario per consentire di utilizzare le informazioni nel modo speciale richiesto dal pensiero laterale e anche per indicare agli altri ciò che si è fatto. Questo strumento è PO. PO è uno strumento dell'intuizione. PO è il rilassamento del linguaggio. Esso opera per rilassare la rigidità dei modelli fissi così facilmente formati dalla mente, e per dare impulso alla costituzione di nuovi modelli.

Il pensiero laterale non ha niente a che vedere con la generazione del dubbio per il dubbio o del caos per il caos. Il pensiero laterale riconosce l'estrema utilità dell'ordine e dei modelli. Ma sottolinea la necessità di cambiarli per aggiornarli e renderli ancora più utili. Il pensiero laterale dà particolare risalto ai pericoli impliciti nei modelli rigidi che la mente è così proclive a costruire a causa del modo in cui provvede al trattamento delle informazioni.

INDICE

BUR
Periodico settimanale: 21 novembre 2001
Direttore responsabile: Evaldo Violo
Registr. Trib. di Milano n. 68 del 1°-3-74
Spedizione in abbonamento postale TR edit.
Aut. N. 51804 del 30-7-46 della Direzione PP.TT. di Milano
Finito di stampare nel novembre 2001 presso
Legatoria del Sud - via Cancelliera, 40 - Ariccia RM
Printed in Italy

ISBN 88-17-12686-1